El método
PELLEGRINI

El método
PELLEGRINI

FRANCISCO SAGREDO B.

El método Pellegrini
Primera edición: noviembre de 2015

© 2015, Francisco Sagredo B.
© 2015, Penguin Random House Grupo Editorial, S.A.
Merced 280, piso 6, Santiago de Chile
Teléfono: 22782 8200
www.megustaleer.cl

Printed in Chile - Impreso en Chile

ISBN: 978-956-9545-14-6
Registro de Propiedad Intelectual: 257.881

Equipo periodístico: Maks Cárdenas, Sergio Domínguez y Patricio Morales
Estadísticas: Rodrigo Muñoz

Diseño de portada: Amalia Ruiz Jeria
Diagramación y composición: Alexei Alikin
Impreso en CyC Impresores Ltda.

Penguin
Random House
Grupo Editorial

ÍNDICE

*Para mi viejo, seguidor permanente y apasionado,
hasta su último día, del deporte y los deportistas chilenos*

CAPÍTULO 1

Viaje intergaláctico

Golpe letal

En el camarín de Universidad de Chile la escena se asemeja a la de un velorio: poca luz, mucho silencio, rostros desencajados, algunas lágrimas y el murmullo de conversaciones monosilábicas. Son cerca de las siete de la tarde del domingo 15 de enero de 1989 en ese vestuario del Estadio Nacional de Santiago.

La U acaba de descender a Segunda División por primera y única vez en su historia.

Un hito trágico para el aficionado más apasionado.

Una mancha imborrable en el palmarés del otro equipo grande del fútbol chileno junto a Colo-Colo.

Una parte de los casi veinte mil hinchas que llegaron al estadio permanecen en las tribunas con la mirada perdida. Intentan despertar de la pesadilla futbolística que significó el empate dos a dos frente a Cobresal. El árbitro de ese partido fue el juez Iván Guerrero: «Esa tarde, cuando pité el final del partido, se produjo una situación extraña en el estadio», recuerda. «Era una mezcla entre los cánticos de la barra y el silencio de la mayoría de los espectadores de ese día. Los jugadores de la U se miraban sin decir nada. Los de Cobresal, en vez de celebrar el empate, consolaban a los azules. Era todo muy raro».

Ningún espectador, dirigente o periodista estuvo más cerca que Guerrero de los futbolistas y del propio Pellegrini cuando se concretó el descenso. El juez fue testigo privilegiado del fin de la larga agonía que significó para la U esa temporada de 1989 y observó, desde su exclusiva tribuna en el medio de la cancha, el recorrido que hizo el DT desde la banca hasta el camarín.

«Iba cabizbajo, pero muy tranquilo», continúa Guerrero. «Se le notaba afectado, triste, aunque en ningún momento perdió la compostura. Recuerdo que bajó solo y en silencio las escaleras del túnel que llevaban a los vestuarios. Iba afectado pero entero. Fue un partido que la U debió ganar; desperdiciaron varias oportunidades clarísimas de gol.»

Ya en camarines, de buzo azul y zapatillas blancas, Pellegrini está apoyado en uno de los muros del vestuario, cerca de la única camilla de masajes. A su espalda hay una pizarra en blanco, vacía, tal como debe haber estado su mente en ese momento, pocos minutos después de finalizar su primera y traumática experiencia como DT profesional, con su equipo condenado a Segunda División.

Al «Ingeniero» (apodo con el que lo bautizaría, años después, la prensa argentina, cuando se hizo cargo de San Lorenzo en 2001) lo acompañan sus colaboradores más cercanos. Nadie habla.

Pero el técnico no puede refugiarse en el silencio. Los reporteros lo esperan adentro del vestuario. Son los tiempos de las entrevistas en medio de camisetas sudadas y con el vapor de las duchas humedeciendo el ambiente. No hay escapatoria, menos en una jornada en la que todos quieren las explicaciones del principal responsable del fracaso.

«El responsable siempre es el técnico», comienza el DT. «Lógicamente estoy muy frustrado, y también cometí errores», reconoce.

Asumidas rápidamente las responsabilidades, los periodistas buscan sin preámbulos la respuesta que todos esperan ante la pregunta inevitable: «¿Va a renunciar, Manuel?».

Pellegrini ni se inmuta. Su rictus es serio, y muy tranquilo responde: «No, tengo contrato vigente y mi cargo siempre está a disposición de la directiva».

—Pero acaba de descender a Segunda División…

—El primer equipo es parte del trabajo, es lo que más se ve, pero hay uno más amplio. Por ejemplo, yo soy responsable del plan de los menores también y este año la U obtuvo muy buenos resultados en las series juveniles.

Sin pestañear, en medio de la frustración que emanaba desde el derrotado vestuario y los lógicos deseos de tragedia griega de la prensa, Pellegrini no solo manifestaba su intención de mantenerse en el cargo. También afirmaba que «dentro de todo, el rendimiento de la U ha sido bueno en varias etapas de este campeonato, pero hubo un claro déficit en el finiquito».

Una semana después, durante la primera asamblea de socios del club tras el descenso, el periodista y hoy destacado comentarista radial, Igor Ochoa, asistió como reportero a la junta de aficionados azules. Ahí, aún afectados por el inédito retroceso, algunos de los hinchas presentes pudieron observar una conversación de Ochoa con Pellegrini.

En el diálogo, el técnico profundizó su análisis de la mala campaña con una sentencia difícil de asimilar en esos momentos según el relato del periodista: «Muy tranquilo, me comentó que el descenso era parte de un proceso inevitable para la U. Me afirmó que a pesar de lo doloroso de bajar a Segunda, la crisis terminaría fortaleciendo al club y que a la larga debería traer frutos en las temporadas que vinieran», dice Ochoa. «Para mí fue un análisis insólito en ese momento. Hoy, cuando han transcurrido veintiséis años y viendo cómo la U se levantó de la crisis y terminó siendo bicampeona cinco años después, uno asume que Pellegrini no estaba tan equivocado».

El técnico, aun cuando su carrera comenzaba con un fracaso supremo, se mantenía firme en sus convicciones, soportando un golpe que para cualquier profesional debutante podría haber sido letal.

Invadida por miles de fanáticos que quieren celebrar en terreno el título recién obtenido, la cancha del Etihad Stadium de Manchester parece un hormiguero de color celeste.

La celebración se ha desatado, nadie quiere quedar al margen y todos vitorean a los jugadores del Manchester City («el City») que acaban de vencer por 2-0 al West Ham United. Un triunfo en la última fecha que abrochó el título para los «Ciudadanos» de la Premier League de Inglaterra, apenas el cuarto en los más de ciento veinte años de historia del club.

En medio de la caótica celebración, los futbolistas del nuevo campeón se confunden con los hinchas. Hay champán y abrazos en una jornada marcada por la gloria de ser el mejor en una de las ligas más importantes del mundo.

Sergio Agüero, Yaya Touré, Vincent Kompany, Joe Hart y el resto del plantel están eufóricos. Una vez que la seguridad del estadio logra despejar de hinchas la cancha, se concreta el ritual de la entrega de la copa y la vuelta olímpica.

Los protagonistas del título se ven sobrepasados por el entusiasmo de la fiesta. Pocos mantienen los papeles y nadie se salva de las bromas.

En medio del caos, Manuel Pellegrini mantiene la calma enfundado en su impecable uniforme de traje gris, camisa blanca y corbata celeste.

El chileno sonríe, se abraza con sus dirigidos. Pero jamás pierde la compostura, ni siquiera cuando varios de sus jugadores lo levantan por los aires con el tradicional «manteo».

Ya instalado en la selecta lista que lo muestra junto a Carlo Ancelotti y José Mourinho como los únicos tres DT que han ganado el título en su primera temporada en la Premier League, Pellegrini comparte el momento junto a su familia en el campo. Su mujer —Carmen Gloria Pucci, «La Carola» como la llama el DT—, sus hijos Manuel, Juan Ignacio y Nicolás, y sus dos nietos, han llegado a Manchester para ser parte de la fiesta. Es con ellos que Manuel se sale algo más de su clásico comportamiento y no deja de sonreír, posando para un álbum más íntimo, el familiar, atesorando recuerdos imborrables, de aquellos que le sirven a los técnicos para justificar los años de sacrificio lejos del hogar. Una de esas fotografías, la del DT con la copa de campeón y uno de sus nietos en brazos, es la foto de perfil del entrenador en su WhatsApp.

Terminada la celebración en la cancha llega el momento de enfrentar a los medios. Está en la cresta de la ola. El éxito lo eleva a un sitial que le permitiría dejarse llevar por la euforia del triunfo. Sin embargo, la victoria no alcanza para las declaraciones rimbombantes, alguna frase con sabor a revancha o una palabra con aroma a soberbia.

Otra vez, como ha sido la tónica en toda su carrera, Pellegrini no genera grandes titulares con sus declaraciones y comenta tras el triunfo: «Estoy muy orgulloso de mi grupo de jugadores. Ellos creyeron en mí, en la forma de jugar que les propuse y hoy podemos celebrar este logro gracias al sobresaliente rendimiento que mostraron durante toda la temporada», afirmó en el ingreso a los vestuarios.

Allí, en el corazón del imponente recinto, mientras sus jugadores continúan con el festejo, ahora a puertas cerradas, en camarines, el chileno no se permite gozar de la gloria y afirma: «Esto es muy importante, hoy lo celebraremos y el martes ya empezaremos a trabajar en la siguiente temporada, porque este club y estos jugadores merecen más».

Veinticinco años transcurrieron entre la jornada en que Manuel Pellegrini se fue al descenso con Universidad de Chile y el día en que celebró el título con el Manchester City en la liga más competitiva del mundo.

Un cuarto de siglo en el que pasaron, y cambiaron, muchas cosas en la trayectoria del Ingeniero.

Un viaje desde el infierno deportivo hasta el paraíso competitivo, lleno de experiencias, victorias, derrotas, sacrificios, reconocimientos, cuestionamientos y miles de situaciones imborrables.

Una historia escrita en un constante devenir de desafíos y objetivos a corto, mediano y largo plazo, dependiendo de la realidad y contexto de cada uno de ellos.

Independientemente de lo distinto que puedan parecer entre sí las jornadas del Estadio Nacional en enero de 1989 y la de aquel domingo de mayo de 2014 en Manchester, el denominador común es la forma en que Pellegrini ha enfrentado los disímiles escenarios en sus veintisiete años como entrenador.

Siempre ha mantenido la misma actitud, llegando a niveles irritantes para el medio periodístico. Jamás se ha complicado con el vértigo que produce el abismo de la derrota ni se ha mareado con la altura a la que elevan los éxitos. Esto quedó manifiesto en su declaración, al cerrar el diálogo con los periodistas la tarde que descendió con Universidad de Chile: «Es cierto que estoy iniciando mi carrera como técnico, y ser el principal responsable de un descenso histórico para el club es algo que me golpea, pero tengo la seguridad de que cuento con la fortaleza para salir adelante en esta profesión».

Claramente tenía razón.

Pero a esa fortaleza hay que sumarle una infinidad de factores que fueron forjando su carrera. Un recorrido que comenzó a trazar cuando aún era jugador, iniciando una larga, ambiciosa y multidisciplinaria formación que, a la luz de lo que ha sido su trayectoria, fue levantando los sólidos cimientos sobre los que Manuel Pellegrini Ripamonti ha construido su extraordinaria historia.

LLEGA COMO SEA

Jueves 29 de enero de 2015. Son días de mucho frío, lluvia y nieve en Inglaterra.

En esa mañana de invierno, el aeropuerto Heathrow de Londres está repleto. Miles de pasajeros esperamos abordar nuestros vuelos, pero el clima lo impide.

En las pantallas del terminal de conexiones nacionales las noticias de la BBC no paran de informar sobre «*several storms*» en toda Gran Bretaña.

Son las nueve de la mañana, mi vuelo de las siete y media ya fue cancelado y espero nervioso que se reanude el tránsito aéreo para despegar en el British Airways, que tardará 45 minutos en llegar a Manchester. Debo estar a la una y media de la tarde en la Ciudad Deportiva del Manchester City para mi primera reunión con Manuel Pellegrini.

Veintitrés días antes, el 6 de enero, Amaia Díaz, secretaria de la Gerencia Deportiva del club, me informó vía e-mail que el técnico chileno me recibiría ese jueves 29.

Llevaba meses gestionando la reunión, desde noviembre del año anterior. Pellegrini no es de aquellos técnicos asiduos al contacto cercano con los periodistas, y salvo el estricto y permanente cumplimiento de sus obligaciones comunicacionales de entrenador (conferencias de prensa, entrevistas coordinadas por el club, etcétera) accede a muy pocos encuentros individuales. Sin embargo, esta vez me había abierto una puerta, sabiendo que la cita no correspondía a una coyuntura periodística.

Mucho tiempo había invertido en contarle de mi proyecto: la idea de plasmar en un libro lo que ha sido su trayectoria. Su cuarto de siglo como técnico y las catorce temporadas como jugador profesional. Cuarenta y tres años dedicados al fútbol en los más diversos escenarios y contextos. Desde la humildad del estadio La Cisterna con Palestino hasta la majestuosidad del Santiago Bernabéu en la banca del Real Madrid. Desde la decepción absoluta en el descenso de Universidad de Chile hasta la gloria total como campeón de la Premier League. Desde los aplausos constantes en Palestino, O'Higgins, Liga Deportiva de Quito, San Lorenzo, Villarreal, Málaga o en su primera temporada con el City hasta los cuestionamientos vividos en Universidad Católica, River Plate, Real Madrid o en su segundo año en Manchester.

Miles de momentos en distintos países dirigiendo a centenares de futbolistas, cargados con decenas de anécdotas.

La historia de un ingeniero que decidió dedicar su vida al fútbol, surgido desde un país con nula tradición de técnicos exitosos a nivel internacional. Porque en el apartado de la exportación de entrenadores, el fútbol chileno también está a años luz del argentino, brasileño o uruguayo, cunas prolíferas y permanentes de estrategas internacionales.

Desde esta comarca, salvo la notable excepción de Fernando Riera (precisamente la gran inspiración de Pellegrini), ningún DT chileno dio el salto a la élite.

En aquella precaria realidad nace el objetivo central de este proyecto: dejar un testimonio concreto de la carrera del entrenador más exitoso en la historia del fútbol chileno. Presentarle esa idea era el sentido de la reunión. Pero lo primero era llegar a Manchester.

Durante la tensa espera en el aeropuerto asumí que si no estaba a la hora pactada en su oficina, Pellegrini no me daría otra oportunidad. Conocida su reticencia hacia los periodistas, tenía claro que no le haría mucha gracia que lo dejara plantado en la primera cita.

Ansioso, y mientras comenzaba a evaluar la opción de partir a la estación de trenes para viajar por tierra, por los altoparlantes anunciaron que en Manchester habían reabierto el aeropuerto y que en media hora se iniciaba el embarque de mi vuelo.

Pasaron los treinta minutos, cinturón abrochado, despegue impecable y la sensación de alivio. Nos vamos. El Ingeniero, de seguro escéptico, me esperaba en su despacho.

Un par de pestañeos, algo de turbulencia y tras cuarenta minutos de viaje el capitán lanzaba un aviso que sonó a sentencia: no podíamos aterrizar en el Aeropuerto de Ringway debido a que el clima había empeorado. De regreso a Londres, ahora sí que no llegaba a la reunión.

De vuelta en Heathrow envié un mensaje a Amaia Díaz con la mala nueva:

—No llego, lo siento. ¿Qué hacemos?

—Debes esperar, Manuel está en la práctica. Apenas termine le cuento tu problema y veremos qué me dice. Recuerda que pasado mañana jugamos contra el Chelsea, es decir, son días importantes y él te citó con mucha anticipación.

A esa altura ya estaba jugado. No había nada que hacer y los vuelos no despegarían hasta la tarde-noche. El pronóstico del tiempo anunciaba que recién a las cuatro de la tarde pasaría la tormenta.

Meses esperando la opción de reunirme con Pellegrini y el clima me bloqueaba. En ese momento todo dependía de él.

Con fama de implacable ante las indisciplinas o incumplimientos de quienes lo rodean, pensé que a mí, un periodista con quien no tenía ningún tipo de lazo, me mandaría a decir que lo sentía, pero que no era responsabilidad suya el problema.

Viaje inútil.

Tras eternos 45 minutos, el celular me anunció la respuesta del técnico. La pantalla mostró el mensaje de Amaia. Era cosa de apretar «enter» para saber si hasta ahí llegaba la historia.

«Francisco, Manuel me dice que no te preocupes. Que sabe del cierre de los aeropuertos y que te puede recibir mañana viernes a la misma hora, las 13.30.»

Alivio. El goteo frío cesaba en la espalda.

Con lógica pragmática, Pellegrini entendió que el plantón no era mi responsabilidad y no tuvo inconvenientes en volver a agendar nuestro encuentro para el día siguiente, a veinticuatro horas de uno de los partidos más importantes de esa temporada ante el Chelsea de José Mourinho.

El proyecto seguía vivo y a las cinco y media de la tarde de ese jueves 29 aterricé en la nevada, gris y fría Manchester. Tras un día completo de tensión y espera, estaba cumpliendo con lo que me pidió Amaia en su último mensaje luego de la respuesta de Pellegrini: «Francisco, no vayas a fallar mañana. Llega como sea a Manchester, pero llega…».

Números de ingeniero

A primera vista, la evaluación de la carrera como técnico de Manuel Pellegrini no puede ser otra que positiva. Esa valorización se basa no solo en su palmarés y registro de resultados, sino que también, y con especial énfasis, en la capacidad que ha tenido el chileno para darle un sello futbolístico atractivo a sus equipos. «Los equipos de Pellegrini en Europa juegan con el sello de los equipos de Pellegrini», afirma Arrigo Sacchi.

Ex futbolista y entrenador, el italiano constituye una de las voces con más peso en el fútbol internacional. Subcampeón del mundo con Italia en el Mundial de Estados Unidos 1994, y dos veces ganador de la Liga de Campeones con el A.C. Milan en 1989 y 1990, Sacchi se transformó en un referente básico dentro de las ideas tácticas del fútbol internacional. Defensor de la línea de cuatro en la zaga, transformó la defensa en zona y el buen trato del balón en los sellos más reconocibles de su aplaudida y exitosa propuesta futbolística.

Pellegrini, declarado admirador de los conceptos de Sacchi, ha sido atentamente seguido por el entrenador italiano. Primero en su estancia como director deportivo del Real Madrid (2004-2005), etapa en la que enfrentó en varias oportunidades al Villarreal dirigido por el chileno, y luego como destacado comentarista de la televisión italiana en torneos como la Champions League, la Europa League y las principales competencias europeas.

En febrero de 2015 tuve la oportunidad de entrevistarlo. Apenas lo contacté, aceptó gustoso cuando se enteró de que el diálogo buscaba conocer su opinión sobre el entrenador chileno: «Su principal mérito es que todos sus equipos tienen la misma forma de jugar», dice Sacchi. «Una manera que potencia la vocación ofensiva a través del control de la pelota. Él [Manuel] ha logrado traspasar su filosofía de juego a todos los planteles que ha dirigido, y esa capacidad no la tiene cualquiera. Más allá de las buenas campañas y los títulos que ha conseguido, para mí lo más destacable de su trayectoria es que sus equipos juegan con su sello».

Los conceptos de Arrigo Sacchi respaldan la idea de que Pellegrini, cuando ha ganado, lo ha hecho dando espectáculo en clubes como la Liga de Quito en Ecuador, San Lorenzo y River Plate en Argentina, y el Manchester City en Inglaterra.

En los casos en que la realidad deportiva de las instituciones que dirigió imposibilitaba aspirar a la cima absoluta, el chileno consiguió resultados impensados a base de buen juego: con Palestino y O'Higgins en Chile, y el Villarreal y el Málaga en España.

En los momentos que rozó la gloria y los títulos no llegaron (subcampeonatos con Universidad Católica en 1994 y 1995, el Real Madrid en 2010 y su segunda temporada en el City en 2015), el registro muestra equipos que lograron cautivar a los hinchas a través de récords de productividad goleadora, seguidillas de triunfos y una permanente búsqueda del arco contrario mediante el buen trato de balón.

Algunos críticos de Pellegrini han dicho que el DT «no tiene pasta para dirigir equipos grandes». La estadística afirma otra cosa: fue campeón con la Liga Deportiva Universitaria de Quito (LDU), el cuadro más popular de Ecuador. Con San Lorenzo y River Plate, dos de las instituciones más importantes de Argentina, también levantó copas. Y con el Manchester City, un club que a base de un proyecto millonario y a mediano plazo se ha transformado en uno de los equipos con más aspiraciones en Europa, también celebró campeonatos.

Los fríos números también indican que el Ingeniero ha conseguido, desde 1989 hasta la temporada 2014-2015, ocho títulos: copas Chile e Interamericana con la UC; Torneo Ecuatoriano 1999 con LDU; torneos de Clausura 2001 y 2003 con San Lorenzo y River Plate, respectivamente; Copa Mercosur 2001 con San Lorenzo; y campeón Premier League y la Copa de la Liga con Manchester City el 2014.

Ha dirigido en once instituciones (la U, Palestino, O'Higgins, UC, LDU, San Lorenzo, River, Villarreal, Real Madrid, Málaga y el City) un total de 1.084 partidos y ha obtenido 537 triunfos, 267 empates y 280 derrotas. La estadística total arroja un rendimiento del 59 por ciento de efectividad durante toda su trayectoria en la banca (registro que contempla desde el inicio de la temporada 1989 en Chile hasta el término de la 2013/14 en Inglaterra).

Otro cuestionamiento que se le ha hecho al entrenador, especialmente en Chile, es una supuesta preocupación excesiva por el orden defensivo en desmedro de la vocación ofensiva.

Nuevamente las cifras parecen contundentes para desmentir ese mito: un total de 1.852 goles convertidos por sus equipos, con un promedio de 1,7 tantos por partido y con varios récords históricos de productividad goleadora. Incluso, en aquellas instituciones en las que no consiguió el objetivo de celebrar un título, las cifras registran al cuadro más goleador de las temporadas 1994 y 1995 —Universidad Católica, con 2,6 goles por partido— y el récord absoluto de tantos convertidos con el Real Madrid (106) durante la Liga 2009/10.

Es cierto que la historia no borrará jamás que bajo su tutela, en su primera experiencia como entrenador, Universidad de Chile descendió, por única vez, a Segunda División. Pero los libros también narrarán que en el año 2001 estableció tres récords para el fútbol argentino dirigiendo a San Lorenzo: once victorias consecutivas en un mismo torneo, trece victorias seguidas en calidad de visitante y el título del Torneo de Clausura con 47 unidades, es decir, el campeón con más puntos en la historia de los torneos cortos hasta ese momento.

El recuento del paso por River Plate indicará que ganó el título encadenando una racha de doce partidos invicto, quedando a un triunfo de igualar el récord histórico de victorias consecutivas en un solo campeonato del club.

En su primera experiencia en Europa, los archivos mostrarán que consiguió la mejor ubicación histórica del Villarreal:

subcampeón de la Liga 2007/08. Además, con el «Submarino Amarillo» (apodo con que se conoce al Villarreal) llegó a semifinales de la Champions League por primera y única vez en la trayectoria profesional del club.

En el Real Madrid (2009/10), institución en la que Pellegrini sufrió los cuestionamientos más duros de su trayectoria por parte de un sector minoritario, pero poderoso, de la prensa española, fue subcampeón en la temporada que compitió mano a mano contra uno de los mejores, o quizá el mejor Barcelona de todos los tiempos (seis títulos en un solo año para los catalanes, marca jamás igualada por otro equipo en la historia del fútbol mundial), estableciendo el hasta ese momento récord de puntos del club merengue en una temporada: 96. Consiguió también dieciocho triunfos en calidad de local, marca nunca antes registrada en el Santiago Bernabéu.

Al mando del Málaga también encabezó la mejor ubicación histórica de la institución, rematando en la cuarta plaza de la temporada 2011/12. Clasificó al club por primera vez a la Champions League y en ese torneo se convirtió en el tercer debutante de la historia de la competición en ganar sus primeros tres partidos y en el segundo en no recibir goles en contra, cuajando una gran campaña que instaló al club malagueño en la inédita instancia de los cuartos de final de la Champions.

En su primer año en el Manchester City, además de ganar la Copa de la Liga, se transformó en el primer técnico no europeo en obtener la Premier League, en el tercero en levantar la copa en la temporada de su debut y superó el récord histórico de goles a favor, con 156 tantos en 57 partidos en la liga 2013/14.

A la temporada siguiente, 2014/15, el City no obtuvo ningún título y remató segundo en la Premier.

A pesar de los cuestionamientos por parte de la prensa, fue confirmado en la banca de los «Cityzens», se le extendió contrato hasta el 2017 y otra vez su equipo fue el que más goles convirtió: 83 en 38 partidos, con una diferencia positiva de +45.

Para cerrar la estadística macro, otro dato contundente: con sus trece temporadas consecutivas dirigiendo en Europa, el Ingeniero se ha convertido en uno de los seis técnicos sudamericanos con mayor continuidad en la historia del fútbol del Viejo Continente, junto al paraguayo Heriberto Herrera (1960-1978), el uruguayo Víctor Espárrago (1985-1997) y los argentinos Roque Olsen (1959-1989), Helenio Herrera (1945-1974) y Héctor Cúper (1997-2013).

Cifras, números y registros. Antecedentes cuantitativos de un chileno que se ha instalado, y mantenido, en la primera línea del planeta fútbol.

OTRA GALAXIA

Treinta y tres hectáreas con dieciséis campos de entrenamiento, un miniestadio para siete mil personas, hotel de concentración y toda la infraestructura necesaria para el trabajo de las divisiones juveniles y el equipo profesional. Es la espectacular Ciudad Deportiva del Manchester City, recinto que tuvo un costo superior a los trescientos millones de dólares.

Emplazada a menos de un kilómetro del imponente Etihad Stadium, la ciudad del cuadro ciudadano fue inaugurada en diciembre de 2014 y refleja, con toda su magnitud, el ambicioso proyecto de la familia Bin Zayed Al Nahyan, jeques que se hicieron de la totalidad de la propiedad del club en 2009.

Gobernantes de Abu Dhabi y los Emiratos Árabes Unidos, los Bin Zayed han invertido cerca de mil millones de euros en los «Ciudadanos», intentando posicionar a una institución sin una gran historia entre las más importantes del mundo.

Es viernes por la mañana. Nevó toda la noche en Manchester y las canchas del complejo del City están tapizadas de blanco, por lo que Manuel Pellegrini debe dirigir la práctica en un gimnasio techado del recinto.

Tras los chequeos de seguridad, mi taxi cruza la entrada principal y avanza bordeando las canchas sobre las que trabajan máquinas calefactoras de última generación que permiten derretir la nieve del pasto.

Dentro del predio se encuentra el edificio corporativo, moderna construcción de cuatro pisos que alberga las oficinas administrativas del club.

Las gerencias general, deportiva, de marketing y de comunicaciones, trabajan en este edificio, que tiene un diseño que calzaría perfecto en la geografía de cualquier barrio financiero moderno.

Allí están los despachos de los españoles Ferran Soriano y Txiki Begiristain, consejero delegado y director de fútbol del City, respectivamente. Ambos llegaron a Manchester en 2012 con la misión de implementar en el cuadro celeste el proyecto que encabezaron en la dirección deportiva del Barcelona. Ese es el sueño de los Bin Zayed Al Nahyan en Inglaterra: imitar la estructura institucional que le ha permitido a los blaugrana convertirse, para muchos, en el mejor club del mundo.

Con los catalanes a cargo de los ámbitos directivo y ejecutivo, Pellegrini es el responsable futbolístico del millonario proyecto. En ese nivel, en la élite futbolística, está instalado el chileno.

Hoy, el jefe técnico de uno de los proyectos futbolísticos más ambiciosos del planeta es el mismo tipo que debutó como entrenador profesional, bajando a la Segunda División del fútbol chileno en 1989.

Se trata de un salto que parece imposible. Un recorrido de millones de kilómetros en lo que a desarrollo y ascenso personal se refiere. Un viaje intergaláctico para el técnico chileno.

Mientras espero el encuentro con Pellegrini en las impecables y acogedoras instalaciones de la recepción del edificio, el entrenador enfrenta a los medios en la rueda de prensa previa a cada partido.

A un día del duelo con el puntero Chelsea, el tema central de la conferencia no es el match en sí. En los diarios británicos, la noticia es la inminente sanción a Diego Costa, el atacante estrella del equipo de José Mourinho.

El hispano-brasileño viene de ser denunciado por oficio, luego de que las cámaras captaran el momento en que le daba un pisotón al jugador del Liverpool, Emre Can. La jugada ocurrió una semana antes, en la semifinal de la Capital One Cup, en el estadio Stamford Bridge.

En las pantallas de la sala de espera, el canal de televisión del club transmite en directo la rueda de prensa. En vivo, veo como los periodistas le preguntan una y otra vez a Pellegrini por la posibilidad de que Costa sea sancionado y no esté en el importante partido del día siguiente. El chileno, impertérrito, una y otra vez también, responde que no se referirá a supuestos, ya que la determinación de la Federación Inglesa aún no se conoce en ese momento.

La prensa conmina al Ingeniero a que comente las declaraciones de Mourinho, quien, en su estilo, afirmó el día anterior que una posible suspensión de su delantero lo haría pensar en que habría una persecución en contra del Chelsea, agregando que el City obtendría una ventaja deportiva si el goleador se ausentaba en el duelo ante el sublíder de la tabla.

Pellegrini ni se inmuta ante los tradicionales dardos dialécticos del técnico portugués; sin embargo, para sorpresa de quienes estamos en Manchester escuchándolo, suelta una frase que servirá de titular: «Diego Costa debe bajar su nivel de agresividad. Es un grandísimo futbolista y en el fútbol inglés no caben ese tipo de actitudes. Creo que esto que ocurrió le servirá y terminará siendo positivo para él».

Frase bombástica para los templados y autocontrolados estándares mediáticos del ex entrenador del Real Madrid. Un pequeño dulce para los periódicos ingleses, siempre ávidos de polémica.

Terminada la rueda de prensa, Amaia Díaz llega a buscarme: «Listo, Francisco. Manuel dice que subas a su oficina».

No juega

Todo ordenado, pulcro, casi quirúrgico. Así se ve el despacho de Pellegrini, ubicado en el segundo piso del edificio corporativo del club.

Sobre el escritorio, los papeles están geométricamente dispuestos. Uno arriba del otro, ninguno sobresale. Los diarios del día y las revistas de fútbol están en perfecto orden también. Carpetas, archivadores, cuadernos. Cada cosa en su lugar. Como en un departamento piloto.

En una de las paredes de la oficina hay una pizarra blanca con un calendario en el que se aprecian los próximos partidos del equipo. Cada rival con su respectiva ficha magnética. En cada una, el respectivo escudo del equipo contrario. En otro muro, una gran planilla Excel, repleta de celdas en distintos colores, permite conocer la matriz de lo que el Ingeniero tiene en su cabeza: la planificación de entrenamientos y fechas importantes. Nada queda al azar. Es el sello del chileno, según quienes han trabajado con él.

Como Pellegrini no está detrás de su escritorio cuando entro, veo el hermoso panorama de las canchas nevadas desde el gran ventanal de la oficina. El DT me espera en la mesa de reuniones del despacho. También blanca. También ordenada. También impecable.

Detrás de él, un atril con otra pizarra magnética que tiene dibujada una cancha de fútbol de color celeste. «Celeste City». Sobre ella, veintitrés papeles con los nombres de cada uno de los jugadores del plantel. Todos ordenados por sus roles en el campo. En el arco, los papelitos de los dos porteros del equipo: Joe Hart y Willy Caballero. En el lugar del lateral derecho, los nombres de los dos defensas con que cuenta el plantel en esa posición: Pablo Zabaleta y Bacary Sagna. Y así continúa el patrón que no devela quién será titular y quién suplente en el partido ante el Chelsea.

El DT me estrecha la mano. Es distante pero extremadamente educado. Me siento frente a él. Me escucha atento, impertérrito. Sus gestos no denotan lo que piensa y, tras algunos minutos, justo cuando el pequeño monólogo derivaba en diálogo, suena su celular...

—Perdona, es Txiki Begiristain, tengo que contestar.

No hay ruido en la oficina, puedo escuchar lo que le pregunta el directivo catalán. La conversación gira en torno a aspectos públicos, por lo que no vulnero la privacidad de los protagonistas al relatarla...

—Y, Manuel, ¿cómo ha ido la rueda de prensa?

—Bien, normal. Me preguntaron solo de Mourinho y Costa, como era de esperar. Claramente no contesté lo que les hubiera gustado. Tú sabes...

—Okey. ¿Has visto lo de Costa? Acaba de salir que lo suspendieron por tres partidos. No juega mañana.

—Sí, recién lo leí en internet. Debo dejarte, estoy en una reunión. Te llamo más tarde.

Pellegrini deja el teléfono sobre la mesa y me explica que se esperaba la sanción de Costa: «En el fútbol inglés ese tipo de jugadas no te las perdonan. Existe un respeto total por el rival y el juego limpio. Acá hay una preocupación absoluta por el espectáculo».

No alcanza a terminar la frase cuando golpean la puerta de la oficina. Esta vez el que interrumpe es Rubén Cousillas, el «Flaco», ayudante técnico del chileno desde el año 2001, cuando se conocieron tras la llegada del Ingeniero a San Lorenzo de Almagro.

El argentino pide disculpas cuando se percata de que su jefe no está solo y dispara una sola frase antes de cerrar la puerta por fuera: «Manuel, tres partidos para Costa. Quedó suspendido».

Pellegrini agradece la información que ya conoce. Me mira y reitera los conceptos del respeto y el espectáculo que reinan en la Premier League, pero a los pocos segundos llaman otra vez a la puerta. Ahora es Patrick Vieira, técnico del equipo de proyección del City.

Tranquilo y con un tono tímido que no se condice con su currículum futbolístico y su metro noventa y dos centímetros de estatura, el destacado ex mediocampista y campeón del mundo con la selección francesa le habla a Pellegrini de manera muy respetuosa, casi reverencial.

Hay un océano de diferencia entre la trayectoria de ambos en sus respectivas etapas como jugadores profesionales, pero hoy, en Manchester, el chileno es el técnico consagrado a nivel internacional, mientras Vieira recién inicia su carrera como entrenador dirigiendo a las series juveniles del club.

El francés acude donde su jefe para pedirle el visto bueno sobre el préstamo de un valor del equipo de proyección. Pellegrini, que parece tener clara la decisión, igual le pregunta su opinión a la ex estrella del Arsenal. Vieira recomienda dejar partir a la joven promesa a un club de la Segunda División de Inglaterra. El chileno asiente y afirma seco que «ese chico tiene condiciones. Llegó el momento para que dé el salto desde las series juveniles a un fútbol realmente competitivo».

El francés agradece y se despide. Está a punto de cerrar la puerta e irse cuando se da vuelta rápidamente y lanza: «Míster, suspendieron a Costa y no estará mañana…».

El mantra

«Obviamente, si queda bien y es veraz, sería bueno tener un libro que narre mi trayectoria. Pero yo no estoy interesado en hacerlo. No tengo tiempo.» Así reaccionó Manuel Pellegrini ante la posibilidad de que se escribiera un libro sobre su carrera profesional.

En medio de las interrupciones por el «caso Costa», la charla en la oficina del técnico fue avanzando a medida que pasaban los minutos. Y no bastaron muchos para conocer cara a cara, mano a mano, uno de los rasgos más característicos del Ingeniero: su absoluta indiferencia ante el juicio externo: «A mí lo que me mueve es la autoevaluación. Jamás me ha afectado lo que digan o no de mí. La presión externa no me afecta, ya que la presión más grande que enfrento es la que me autoimpongo. Esa es la que realmente me desvive. Por lo mismo, que escriban o no un libro para hablar bien o mal no me preocupa. No es tema. Quizá, cuando me retire, seré yo mismo quien haga mi propio libro. Pero por ahora no tengo la intención de hacerlo».

Pellegrini argumenta. Enlaza frases perfectamente estructuradas y mira a los ojos cuando expone su desinterés por participar en un libro sobre su trayectoria. Me explica que vive intensamente su profesión, por lo que sus tiempos son muy acotados: «Estoy todo el día enfocado en mi trabajo con el Manchester City. Esto es mucho más que las horas de entrenamiento y los partidos, acá hay mucha planificación, estudio y diversas obligaciones con el club».

Van menos de veinte minutos de conversación y las respuestas de Pellegrini no me extrañan. Para nada. Era cosa de conocer superficialmente lo que ha sido su manejo público para anticipar que la reacción ante este proyecto estaría a años luz del entusiasmo.

Pero no estoy en Manchester para ofrecer mis servicios como *ghost writer* en una autobiografía o para conseguir la participación del entrenador en una «biografía oficial». Lo que me interesa es conocer al técnico más allá de las diversas ocasiones en que compartí con él en mi rol de periodista de medios durante los últimos diecisiete años.

Quiero que Pellegrini sepa que he decidido escribir sobre él, sobre su carrera, sobre su método de trabajo, sobre sus éxitos y fracasos.

Busco informarle que entrevistaré a sus cercanos, a los futbolistas que dirige y ha dirigido, a sus colegas, colaboradores y dirigentes con los que se ha cruzado durante los más de cuarenta años que ha estado ligado al fútbol como jugador y técnico.

Del DT no necesito una aprobación, ya que no me interesa escribir un «texto oficial». Lo que me mueve es escribir sobre los que han sido, a mi juicio, los cuatro pilares sobre los que ha construido su carrera: vocación, preparación, dedicación y convicción. Ahí están, para mí, las bases de la obra profesional de este chileno. Esos son los cimientos que le han permitido construir su destacada trayectoria. Con alegrías y momentos difíciles, es cierto, pero con una capacidad constante de mantenerse en la élite, mostrando el mismo estilo en diversos escenarios, ya sea el más destacado o el más sencillo.

Recién ahí, cuando escucha mis razones, Pellegrini parece entusiasmarse algo más: «Eso es. Acá no es una cosa del azar. Lo que me ha permitido llegar hasta donde estoy han sido los cimientos sobre los que decidí hacerme como técnico, a través de una preparación constante en el tiempo. Sobre todo en mis inicios, cuando asumí que necesitaba prepararme en aquellos ámbitos que identificaba como mis debilidades».

Le explico que estoy en su oficina porque lo único que me interesa es que «usted sepa que estaré trabajando en esto y que le solicitaré algunas entrevistas. Necesito su testimonio. No quiero construir su historia a base de lo que dicen quienes lo conocieron solamente. Lo que quiero es desarrollar sus ideas, métodos y convicciones en profundidad, lejos de la contingencia del titular que a usted tanto le molesta».

Pellegrini me escucha y, pragmático como ha sido siempre, sentencia: «Si quieres escribir un libro sobre mí no te puedo obligar a que no lo hagas, es una determinación tuya. Pero no me puedo comprometer a que participaré dándote algunas entrevistas para tu investigación, ese es un riesgo que debes decidir tú si lo asumes…».

Para mí con eso bastaba, no necesitaba más que la opción de poder entrevistarlo más adelante.

Cerrado el tema puntual del libro, la conversación fue derivando en diversos tópicos relacionados con el fútbol: la organización de la Premier League, el primer año de Alexis Sánchez en

Inglaterra defendiendo al Arsenal, la irregularidad de su Manchester City en la temporada 2014-2015, la situación del fútbol chileno, su futuro, su método, etcétera. El DT lanzó opiniones y conceptos que me permitieron comenzar a construir el perfil de su particular personalidad.

Más de una hora de charla en la oficina de un hombre que parece colocar un muro frente a su interlocutor de turno. Un técnico que ha conseguido casi todo lo que se ha propuesto. Un ingeniero que antes de despedirnos, casi automáticamente y sin que yo entrara en ese argumento de nuevo, me lanzó el mantra que ha repetido durante toda su trayectoria: «Lo que digan otros de mí no es lo que más me importa. Lo mío está en la autoexigencia, en mi propia evaluación. Esa es la que me interesa, porque es la más severa».

CAPÍTULO 2

Doble vida

El frío

Menos dos grados marcaba el termómetro en Manchester la mañana en que me reuní por primera vez con Manuel Pellegrini. Por la ventana de su oficina se apreciaba la nieve que teñía de blanco el verde de las canchas de entrenamiento de la espectacular Ciudad Deportiva del City.

Antes solo había coincidido con él en pautas periodísticas. En Chile, Argentina y España. En encuentros masivos y sin la posibilidad del diálogo mano a mano, como ocurrió esa mañana en Inglaterra.

Cinco meses después, en plena Copa América Chile 2015, Santiago fue el escenario de un nuevo encuentro con el Ingeniero.

Entre una y otra cita, no solo transcurrió el tiempo, sino también varios viajes para conocer el testimonio de aquellos que han conocido de cerca el método Pellegrini. Horas de entrevistas con más de sesenta personajes del mundo del fútbol y del entorno del técnico durante sus etapas en Santiago, Rancagua, Quito, Buenos Aires, Villarreal, Madrid, Málaga y Manchester. Meses de revisión de estadísticas, archivos periodísticos y videos de la carrera del Ingeniero.

El exclusivo Club de Polo San Cristóbal fue el lugar elegido por el técnico para una conversación en profundidad.

El objetivo era conocer los cálculos y planos que dibujó Pellegrini en su mente cuando imaginó su trayectoria como entrenador.

Un encuentro para contextualizar los testimonios de todos aquellos que quisieron repasar su historia en este libro. Una charla para indagar en las estructuras que le han permitido sostenerse en lo más alto del fútbol internacional.

Era invierno en Santiago, de nuevo el frío se convertía en protagonista.

Pellegrini apareció, me estrechó la mano y, como en Inglaterra, fue educado pero distante. Atento pero indiferente. Reposado pero frío, muy frío. Igual que la temperatura afuera.

Una vez iniciada la conversación, el reloj avanzaba y el termómetro subía poco a poco en la capital chilena. No alcanzaba para desabrigarse, pero al menos la sensación térmica era bastante más agradable.

Durante la entrevista, el DT del City se fue soltando a medida que el diálogo se hacía más profundo y se alejaba de la coyuntura. La frialdad del técnico también fue disminuyendo mientras transcurría el tiempo. Pero era pleno invierno, así que tampoco dio para sentir calidez.

Y es que el frío parece sentarle muy bien al protagonista de esta historia, un tipo que le dedicó su vida al fútbol a pesar de que la lógica decía otra cosa.

Una decisión que en su momento, a principios de los años setenta y cuando nadie podía asegurar que alcanzaría el éxito, significó una apuesta de proporciones basada en dos palabras: vocación y convicción.

EL PEREGRINAJE

«Pellegrini», peregrinos en italiano.

Fue Julio, el abuelo de Manuel, quien inició la historia familiar en el sur del mundo a principios del siglo xx.

Originario de la región de Basilicata, en el sur de Italia, cerca del mar Tirreno, el primer Pellegrini en Chile se instaló en

Santiago y emprendió negocios inmobiliarios y del sector de la construcción, levantando su primer edificio en 1910 en la esquina de las calles Estado y Agustinas, en pleno centro de la ciudad.

A partir de 1944 se sumó al negocio familiar Emilio Pellegrini Portales, hijo de don Julio y padre del técnico chileno. Con más de treinta grandes edificios levantados en diversas ciudades, la constructora se fue consolidando en el mercado y transformó a Emilio en un próspero empresario.

Casado con Silvia Ripamonti, el matrimonio tuvo ocho hijos, quienes crecieron en el seno de una familia tradicional, conservadora y de gran preparación intelectual.

En ese ambiente privilegiado se formó Manuel, quien se destacó como un muy buen alumno en el exclusivo colegio Sagrados Corazones de Manquehue (SS.CC.). Fue en sus años escolares que el futuro entrenador comenzó a jugar fútbol, participando en la selección del colegio y demostrando un permanente entusiasmo por el deporte. Entusiasmo que iba más allá de la pelota, ya que en sus años en la enseñanza media comenzó a boxear en el clásico Club México, hasta donde llegaba todas las semanas para mejorar su condición física. Una rareza total para un adolescente de la alta sociedad chilena.

Según sus compañeros de los SS.CC., Pellegrini no era el futbolista más talentoso del equipo escolar, pero cuando comenzó a acercarse el momento de egresar, el destacado estudiante de los ramos científicos y matemáticos había decidido que no iba a abandonar su pasión por el fútbol, independientemente de la obligación de entrar a la universidad a la que lo sometían su padre y la tradición familiar.

Manuel tenía la intención de estudiar medicina en la Universidad de Chile. Sin embargo, el puntaje en la prueba de selección no fue suficiente y optó por matricularse en la carrera de licenciatura en química de la Pontificia Universidad Católica (PUC) en 1970. Luego, poco a poco fue enrielando sus opciones hacia ingeniería.

La facultad estaba ubicada en el paradero 7 de la avenida Vicuña Mackenna. En paralelo a su ingreso a la universidad, Pellegrini sondeó diversas opciones para probar suerte en las divisiones juveniles de algún club profesional, inclinándose finalmente por Audax Italiano.

A los diecisiete años tomó aquella decisión por razones totalmente pragmáticas: el campo de entrenamiento del equipo itálico estaba en el paradero 15 de Vicuña Mackenna, es decir, a una distancia corta y conveniente para combinar los estudios con el fútbol.

En Audax, Enzo Santilli era el director deportivo del club. Cuarenta y cinco años después, sus recuerdos permanecen intactos: «Cuando llegó se notó de inmediato que era un jugador sin mucha habilidad, pero muy trabajador y esforzado. Era constante, no fallaba nunca y llamaba la atención por su altura y su evidente nivel social y preparación intelectual, muy por sobre la media del ambiente futbolístico. Estaba en otro nivel. Era elegante en sus modales y forma de vestir, pero fue muy inteligente para integrarse al plantel. Se ambientó sin problemas».

Arturo Salah tenía veinte años y también hacía diariamente el recorrido entre la Escuela de Ingeniería y los entrenamientos del cuadro itálico. Fue cosa de tiempo para que el puntero izquierdo comenzara a toparse a menudo con Manuel. Tres años mayor y ya consolidado en la duplicidad del universitario-futbolista, Salah le ofreció a Pellegrini llevarlo en su auto desde el campus al centro de entrenamiento. Así nació una amistad que perdura hasta el día de hoy tras compartir como jugadores en la U y desarrollar en paralelo sus carreras de director técnico.

«Nos conocemos hace décadas», afirma Salah. «Después del Audax fuimos compañeros en la Universidad de Chile y tras nuestros respectivos retiros coincidimos en la preparación para ser entrenadores. Trabajamos juntos en la selección nacional, fuimos socios en un emprendimiento en la segunda mitad de los noventa —el complejo de canchas de futbolito El Refugio— y hemos mantenido un lazo de amistad importante, cercana. De llamados telefónicos casi diarios cuando él está fuera.»

En 1971, Salah dejó Audax Italiano para firmar por Universidad Católica. Dos años después fue su amigo Manuel quien dio el salto cuando Ulises Ramos, técnico de Universidad de Chile, visó la llegada del espigado defensa al cuadro azul.

«Pellegrini no destacaba por ser un futbolista habilidoso ni con una gran técnica en velocidad», recuerda su colega ingeniero, «pero mostraba virtudes también: era un jugador muy inteligente, aplicado, con un tremendo cabezazo. Además, pese a ser muy joven en ese momento, dominaba los conceptos tácticos. A esas condiciones sumaba su profesionalismo y una seriedad a toda prueba.»

Así comenzó el periplo de Manuel Pellegrini en el fútbol. Un camino que recorrió en paralelo a su etapa de estudiante universitario, sorteando las dificultades que conllevaba la dualidad de las responsabilidades académicas y la exigencia del fútbol profesional.

En esas circunstancias, la familia Pellegrini, especialmente don Emilio, comenzó a percatarse de que lo de ser futbolista iba en serio para su hijo, quien se las arreglaba para responder también en la universidad. En definitiva, a pesar de su desinterés por la posibilidad de que Manuel se dedicara profesionalmente al fútbol, Pellegrini Portales no tuvo más remedio que aceptar la «doble vida» del futuro ingeniero.

El nuevo camarín

El cambio desde el anonimato del fútbol joven a la tribuna mediática del profesional nunca es sencillo. Menos cuando el

41

paso implica dejar atrás un equipo con poca convocatoria como Audax Italiano, para llegar a uno muy popular como Universidad de Chile. Son realidades totalmente diferentes, con disímiles niveles de exposición, crítica y presión.

En los azules, Pellegrini cambió su rutina del ida y vuelta entre la facultad y el complejo itálico de Vicuña Mackenna a un recorrido diario más largo, desde las aulas universitarias hasta el estadio Municipal de Recoleta, centro de entrenamiento de la U en esa época.

Con su metro ochenta y cinco de altura, ojos azules y pelo rubio, el aspecto del estudiante de ingeniería distaba mucho del prototipo clásico del futbolista chileno, por lo que en su llegada al camarín del «Chuncho» (apodo del club Universidad de Chile), Pellegrini llamó la atención desde un comienzo, aunque se encontró con un plantel que lo acogió sin problemas.

«En ese equipo, varios estábamos sacando una carrera universitaria. Era un camarín de muy buen nivel. Un excelente grupo humano y con excelentes futbolistas», recuerda Héctor Pinto, uno de los volantes más talentosos del fútbol chileno en la década del setenta. El «Negro» era pieza clave de esa formación de los azules, y agrega: «Se le hizo fácil adaptarse en la parte humana porque estábamos yo, el «Flaco» Vladimir Bigorra y el «Lulo» Jorge Socías. Más adelante llegaron Johnny Ashwell y el mismo Arturo (Salah). Todos estudiábamos en la universidad y sacamos nuestros títulos en educación física, ingeniería, etcétera. Entonces, lo de Manuel lo tomábamos con mucha naturalidad, independientemente de que era claro que venía de una familia con una condición social más acomodada. En todo caso, jamás vi una situación en la que él tomara distancia o marcara alguna diferencia por una cuestión social. Se manejaba con mucha humildad, era uno más del grupo.»

Esa forma de ser Pellegrini la mantuvo durante sus catorce años como futbolista. Una actitud que confirmó Sandrino Castec mucho tiempo después. El histórico goleador de Universidad de Chile compartió con el zaguero en dicho equipo durante los años ochenta: «Era inteligente y preparado, pero también muy ubicado. Era uno más. A mí me quedó grabada una imagen: el año 1985 llegó al equipo Michel Atanasovic, un chilote muy humilde. Muchas veces se sentaba al lado de él en el camarín y uno veía a Michel con sus calcetas chilotas, con hoyos en las puntas de los dedos. Pellegrini, en cambio, impecable, de terno y corbata…».

Recién instalado en Recoleta, el joven defensa trabajó duro para ganarse una oportunidad para jugar. Todas las mañanas salía de clases en la Universidad Católica y se iba a toda velocidad a entrenar a bordo de su Fiat 600. Sus compañeros lo molestaban porque parecía que «se ponía el auto» más que subirse a él, recuerda Pinto: «Hacía un gran esfuerzo para cumplir en la sala de clases y en la cancha. Siempre llegaba corriendo a las prácticas, justo para no presentarse atrasado».

El propio técnico reconoció muchos años después, durante una charla a los alumnos de ingeniería de la Universidad Católica en 2013: «Me hubiera encantado aprovechar más mi vida universitaria. Tengo muy buenos recuerdos de la universidad, pero tenía muy poco tiempo. Andaba corriendo todo el día entre las clases y los entrenamientos».

Esos esfuerzos le trajeron dividendos al espigado zaguero. A menos de cinco meses de su llegada desde Audax Italiano, el técnico Ramos le dio la oportunidad de debutar. La ocasión no llegó en un partido cualquiera: el sábado 29 de diciembre de 1973, en la fecha 26 del Torneo Nacional, Manuel Pellegrini Ripamonti hizo su debut en el clásico universitario del fútbol chileno entre Universidad de Chile y Universidad Católica, que terminó con un empate a tres tantos.

Este fue el puntapié inicial de su extensa carrera como futbolista profesional. Una aventura que se prolongó por catorce años y en la que el defensa vistió una sola camiseta: la de Universidad de Chile.

Planta peligrosa

En su primer partido oficial con Universidad de Chile, Pellegrini conformó la dupla de defensas centrales junto a Nelson Gallardo. El técnico Ulises Ramos quedó conforme con la actuación del estudiante de ingeniería y lo mantuvo en la titularidad durante las nueve fechas que restaban para que finalizara el torneo.

Una muestra de confianza del DT que se transformó en una tónica para Pellegrini durante toda su carrera, independientemente de quién fuera el entrenador de turno y a pesar de los cuestionamientos por parte de la prensa, que se mofaba del aspecto desgarbado y «pije» del nuevo defensa central azul.

En los años setenta, Caupolicán Peña era uno de los técnicos más destacados del fútbol chileno y el responsable de la selección nacional en 1977 durante las eliminatorias para el Mundial de Argentina 1978. «Pellegrini era un defensa muy confiable, eficiente. Cabeceaba muy bien y, a pesar de no ser muy rápido, aprovechaba al máximo su zancada larga. Era bravo en el mano a mano. No era fácil eludirlo», dice Peña.

Los elogios de quien sería por años presidente del Colegio de Técnicos contrastan con la fama de «tronco» que ha acompañado el recuerdo de Pellegrini como futbolista: «Le jugaron en contra dos factores: primero, que en esa época había centrales de un nivel extraordinario, como Elías Figueroa, Alberto Quintano, Leonel Herrera y Rafael González. Jugadores que deben estar entre los mejores zagueros de la historia del fútbol chileno. Entonces, la comparación era muy complicada para quien actuara en esa misma posición. Más aún si las características de Pellegrini iban por el lado de la concentración, la fuerza física, el cabezazo, es decir, características menos atractivas que la técnica o la habilidad en la salida que mostraba siempre Elías, por ejemplo. Lo otro que no favoreció a Manuel fue su origen acomodado. Mucha prensa lo tildaba de "cuico" y no le perdonaba ningún error. Pienso que por ahí se fue ganando esa fama de jugador "tronco"».

En 1977 llegó a la U el argentino Héctor «Bambino» Veira, todo un personaje por su personalidad extrovertida e importante currículum futbolístico. Hoy convertido en un destacado comentarista deportivo en los medios argentinos, Veira se deshace en elogios al recordar la temporada en que compartió con Pellegrini en el complejo de Recoleta: «Era un tipo extraordinario. Además muy profesional. Entrenaba como ninguno. Siempre el primero en los ejercicios físicos mientras yo me escondía entre los árboles para robarle alguna vuelta al PF (preparador físico). Como él era muy serio, a mí me gustaba joderlo y lo volvía loco a bromas. Pero él, un fenómeno; jamás se enojaba, a pesar de que yo lo jodía mucho con lo de "Pelligrosini"».

El apodo que recuerda el «Bambino» se convirtió en un mote que persiguió al Ingeniero durante toda su carrera. Jorge Luis Ghiso, otro argentino que jugó en ese plantel de Universidad de Chile, asegura: «A pesar de que era un defensa muy fuerte y eficiente, la prensa lo "cargó" mucho por algunos autogoles que convirtió. De ahí vino el apodo de "Pelligrosini"».

Efectivamente, durante su carrera en la U convirtió cuatro autogoles. Una cifra irrisoria si se enmarca en la cantidad de partidos que jugó con los azules: 434. Este dato adquiere real valor cuando se busca en las estadísticas totales del club, ya que Pellegrini es el quinto jugador con más duelos en la historia de Universidad de Chile, detrás de Luis Musrri (539), Vladimir Bigorra (468), José Rojas (452) y Héctor Hoffens (451).

Para contextualizar aún más la valía de los números por sobre las caricaturas, otra cifra contundente: de las 434 veces que entró a la cancha, solo en quince oportunidades lo hizo desde la banca, ya empezado el partido y siendo titular desde el comienzo en los otros 419 encuentros que jugó.

A pesar de sus sólidos números, la crítica contra Pellegrini en algunas oportunidades fue más allá de «Pelligrosini».

A principios de los años ochenta, el periodista del diario *Clarín*, Carlos Jimeno, bautizó al defensa como el «Gomero». ¿La razón? «Era alto, lindo y solo decorativo.» Hoy explica la contundencia del sobrenombre: «Era una época [los setenta] en que lo habitual era apodar a los futbolistas de alguna forma. Un día, en un partido en el estadio Santa Laura, vi a Pellegrini y se me vino a la cabeza la imagen de un gomero. Obviamente, todo en tono de broma, porque después se mantuvo muchos años en el primer equipo. Jamás tuve un problema con él y nos hemos encontrado muchas veces. Es más, no me arrepiento de haberlo bautizado así porque hoy, a la luz de lo que ha sido su carrera, te puedo decir que por primera vez en Chile un gomero floreció».

¿TODOS EQUIVOCADOS?

En 1994, cuando Pellegrini llevaba ochos años retirado y ya era técnico de Universidad Católica, encaró el tema de los cuestionamientos a su trayectoria de futbolista en una entrevista en la versión chilena de la revista *Don Balón*. En el diálogo con el periodista, el ex defensa afirmaba que: «[…] A lo mejor pude haber llegado a ser algo más, pero me siento conforme con lo que realicé. Fui catorce años titular inamovible en la U, jugué en Copa Libertadores y casi al retirarme integré una selección nacional».

Efectivamente, el 7 de mayo de 1986, nueve meses antes de su retiro, el Ingeniero vistió por única vez la camiseta de la selección adulta en un amistoso ante Brasil en la ciudad de Curitiba. El duelo terminó empatado a un tanto y el defensa, según las crónicas de la época, cumplió una sobresaliente actuación en la zaga. El problema es que en Chile nadie presenció esa performance: el partido fue uno de los pocos encuentros internacionales en la historia de la Roja que no ha sido transmitido por televisión.

En su análisis con *Don Balón*, el ex DT de San Lorenzo y River Plate afirmaba: «[…] Sí, sentí el reconocimiento del medio cuando jugué. Probablemente la gente estaba siempre pendiente más de mis fallas que de mis talentos, pero eso se debió a que mis primeros años en el equipo adulto no fueron buenos. Sin embargo, pienso que al final de mi carrera mi imagen se valorizó. Es algo parecido a lo que le ocurre a Javier Margas en Colo-Colo, un jugador tremendamente rendidor. Cuando no se cuenta con las habilidades naturales, hay una exigencia permanente, que puede ser mi caso personal. Pero al otro lado están los muy talentosos que se conforman fácilmente y el medio se los acepta».

La referencia a Margas recuerda a otro defensa que en la década del noventa construyó su carrera a base de la solidez defensiva, concentración y gran juego aéreo por sobre el talento y la habilidad. La diferencia es que el formado en Colo-Colo se consolidó como un permanente integrante de la selección chilena (incluso jugó en el Mundial de Francia 1998) y dio el salto al fútbol europeo actuando varias temporadas en el West Ham United de Inglaterra.

Alberto Quintano, «el Mariscal», quien junto a Elías Figueroa conformó una de las duplas de centrales más aplaudidas en la historia de la selección, concuerda con la comparación de Pellegrini: «Quizá si Javier [Margas] hubiera actuado en nuestra época no habría destacado tanto, ya que nosotros jugábamos en un fútbol más técnico, en el que las fortalezas física y táctica no eran tan valoradas como ocurrió a partir de los años noventa, especialmente. Y lo mismo pero al revés con Manuel. Pienso que su juego y sus características le hubieran permitido llegar mucho más arriba jugando ahora, en esta época que se valora mucho más el trabajo táctico».

Quintano fue compañero de Pellegrini en la U entre 1977 y 1980 e integraron la dupla titular en el centro de la defensa en más de ciento cuarenta partidos. Se conocían de memoria.

«En el fútbol se crean mitos», sentencia el Mariscal. «Manuel, por lo menos durante los años que fuimos compañeros, tenía algunas limitantes, pero físicamente era muy completo. Era grande, flaco, fuerte, no era lento y siempre se las arreglaba para cumplir. No fue un jugador dotadísimo, pero fue un hombre que fue creciendo en el tiempo a base de trabajar la parte táctica y la parte técnica. Además fue perfeccionando su cabezazo hasta transformarlo en un arma ofensiva importante, porque siempre se elevó muy bien. Lo otro que desarrolló con el tiempo fue su capacidad de liderazgo, la que fue creciendo a medida que avanzaba su carrera y se sentía más importante y confiado».

Perfeccionamiento, trabajo y entrenamiento son conceptos que se repiten en todos aquellos que compartieron, como el Bambino Veira, camarín con Pellegrini en la U: «Él trabajaba más que el resto y entrenaba horas extras. Perfeccionó hasta la saciedad su golpe con la pierna zurda para suplir "la empanada" que tenía en el empeine del pie derecho, debido a que cuando niño sufrió una osteomielitis, una infección en el hueso del pie».

En el fútbol, como en cualquier oficio en realidad, se dice que el mejor profesional es aquel que conoce y supera sus limitaciones potenciando sus virtudes. Esa consigna, el Ingeniero la elevó a la máxima potencia.

Pellegrini no solo logró sacar adelante la dualidad de estudiante y futbolista, también cumplió el sueño de jugar en Primera División, a pesar de la falta de interés de su padre por esa veta deportiva. Don Emilio jamás se interiorizó en la carrera de su hijo y tampoco se esforzó por aprender de un deporte del que sabía poco y nada, tal como lo demuestra una anécdota que narra el Negro Pinto: «Para un cumpleaños de Manuel, nos invitó a su casa. Era espectacular, grande, había hasta garzones atendiendo, todos los del equipo mirábamos entendiendo que su familia estaba a otro nivel. Conversando con su papá, nos comentó que le llamaba la atención la gran cantidad de golpes de cabeza que daba Manuel en los partidos, así que no halló nada mejor que regalarle un casco de constructor para que no le dolieran los golpes y se acostumbrara al uniforme que tendría que usar cuando se dedicara a la ingeniería».

El 27 de enero de 1987, en la derrota ante Naval por 1-0 en Talcahuano, Pellegrini jugó su último partido como futbolista profesional. Fue el cierre de una carrera en la que logró sobreponerse a la crítica, consolidando sobresalientes estadísticas personales y logrando ser titular con todos los entrenadores que lo dirigieron. Esto último da para reflexionar, tal como se preguntó Sandrino Castec al recordar la trayectoria de su ex compañero: «No pueden haber estado todos los técnicos equivocados, ¿no?».

Sentirse vivo

La línea de producción de un club posee una serie de piezas que irán determinando el éxito o fracaso de un proyecto futbolístico según su correcto ensamblaje y buen funcionamiento.

Ser campeón, no descender, llegar a copas internacionales, formar jugadores para su venta o solo sostenerse económicamente más allá de lo deportivo, son generalmente las metas de las instituciones dependiendo de su realidad competitiva.

Cuando no se cumplen los objetivos autoimpuestos comienzan las crisis, que hoy aparecen muy rápidamente dada la expectativa mediática que ha generado la actividad futbolística en todo el mundo.

En los clubes top, la obligación es ganar siempre, por eso la estantería tambalea al primer partido perdido. El último triunfo o el anterior título no tienen ningún valor. Solamente cuenta el presente. Vivimos en un medio esquizofrénico, como alguna vez definió al fútbol de hoy el periodista deportivo chileno Luis Urrutia O'Nell.

Una actividad en la que se pasa rápidamente «de bestial a bestia» según un resultado puntual.

Un buen ejemplo es lo que ocurrió con Carlo Ancelotti en mayo de 2015, cuando el italiano fue despedido del Real Madrid. ¿La razón? Su cuadro no consiguió ningún título durante la temporada 2014/15. Poco importó que apenas once meses antes el DT terminara con una espera de doce años y conquistara una copa que se había transformado en la obsesión del cuadro merengue: la décima Champions League.

En el fútbol, la frase «el hilo siempre se corta por lo más delgado» aparece cada vez que un entrenador es cesado. Ahí está la gran paradoja de la profesión de técnico: quien se sienta en la banca es la pieza más importante y al mismo tiempo la más débil en la maquinaria que hace rodar un club.

El entrenador es el primer fusible en saltar en caso de algún cortocircuito en los resultados. Es el punto bisagra en el complejo mecanismo que implica una institución profesional con sus dirigentes, funcionarios, jugadores e incluso hinchas.

En la banca se vive al borde del abismo. Cualquier descuido o mala racha significa la caída al precipicio.

El oficio implica exponerse a la constante crítica de los medios, la permanente evaluación de los fanáticos, la implacable sentencia de los dirigentes y el rutinario desafío de los miembros del equipo que, en el día a día, «tienen un instinto, una inteligencia natural para detectar tus debilidades», según Jorge Valdano, ex campeón del mundo con Argentina y ex jugador y DT del Real Madrid.

Ser entrenador implica un estrés permanente.

Todo en una actividad que en muchos aspectos depende del azar. Es cierto que el trabajo serio, el profesionalismo y el talento marcarán, en la gran mayoría de los casos, la búsqueda de los resultados. Pero si la pelota entra o no al arco después de pegar en el palo no hay cómo manejarlo.

Los hombres que deciden sentarse en una banca conocen muy bien las reglas del juego. Saben que su trabajo los desgastará al máximo, consumiendo hasta la última gota de energía.

Manuel Pellegrini ha experimentado por veintiséis años el vértigo del precipicio, con el sudor de la silla eléctrica ante el panteón de la crítica externa. Pero le gusta, lo llena, lo hace sentirse realizado, al punto de afirmar que la de técnico «es la mejor profesión del mundo».

—¿Cómo? ¿Y dónde quedan los costos, la presión?

—Precisamente ahí está lo que me motiva. Eso es lo que genera el poder que un entrenador termina teniendo, el que te da la gente. Esa es la dificultad: estar desafiando permanentemente ese poder cuando uno depende de otras personas y otras variables también. Si uno no tiene la capacidad de manejar esa adrenalina y todo a lo que se está sometido, bueno, significa que no se es capaz de hacer esto simplemente.

—Pero no debe ser agradable estar permanentemente a punto de ser despedido…

—Al contrario. Para mí es mucho más importante que exista esa posibilidad de que te echen, porque significa que estás en permanente exigencia. Precisamente ahí está lo que más me atemoriza cuando pienso en el momento que decida dejar esta profesión: sentir ese vacío.

«Nuestra admiración a tu trayectoria, Manuel, a tus valores como persona. Los que estamos hoy aquí coincidimos en que sigues siendo el ingeniero UC más conocido del mundo y de ello nos sentimos muy orgullosos.»

El 25 de junio de 2013, el auditorio de la Facultad de Ingeniería de la Pontificia Universidad Católica de Chile estaba repleto. Más de quinientos estudiantes llegaron al lugar para escuchar la charla de Manuel Pellegrini, quien volvía al alma máter donde se recibió de ingeniero civil con mención en construcción en 1978.

Las palabras del decano Juan Carlos de la Llera representaban el entusiasmo de la audiencia ante el relato de un graduado de esa escuela que, paradójicamente, había decidido abandonar la ingeniería para ser feliz.

«Tomé la decisión más importante de mi vida, que fue atreverme», contó un Pellegrini muy relajado en el escenario en compañía del decano y de Harold Mayne-Nicholls, ex presidente

de la Asociación Nacional de Fútbol Profesional (ANFP), quien
ofició de moderador esa jornada.

«La carrera de ingeniería iba a ser mucho más fácil para mí,
pero siempre tuve la sensación de que no estaba contento. Uno
tiene que atreverse a tomar decisiones importantes en su vida.
Después te irá bien o mal, pero hubiese sido un amargado y un
fracasado. Hubiera sido un técnico frustrado.»

Sin eufemismos, el entrenador del Manchester City le contaba a los futuros ingenieros que él, «felizmente», se había atrevido
a dejar la ingeniería para seguir su verdadera vocación: el fútbol.

Pellegrini tenía razón al afirmar que lo más fácil hubiera sido
dedicarse a su profesión universitaria. Con el cartón de una escuela prestigiosa bajo el brazo, contactos laborales asegurados
gracias a la empresa constructora de su padre y todas las posibilidades que se le abren en Chile a quienes han tenido la fortuna
de nacer en una familia con recursos y acceso a una buena educación, tras terminar su etapa como jugador y retirarse del fútbol
en 1986, a Manuel se le presentaba un camino pavimentado
para asegurar su futuro y disfrutarlo junto a la familia que formó con Carmen Gloria Pucci, también ingeniera civil y a quien
conoció cuando fueron compañeros de facultad.

Sin embargo, a esa altura, con treinta y tres años de edad,
Pellegrini ya tenía clara cuál era su vocación. La determinación
de transformarse en técnico la había tomado años antes, en su
última etapa como futbolista. Fue ahí que le planteó a su esposa
la propuesta de lanzarse a una aventura incierta, encontrando el
total respaldo de su compañera.

Así optó por un camino sinuoso. Una ruta que para su entorno social constituía una ruleta rusa comparada con la segura
posibilidad de sumarse al negocio familiar.

Con determinación decidió seguir haciendo lo que le apa-
sionaba, a pesar de los riesgos. Esa postura de vida, Pellegrini la
explicó en aquella misma charla con una sola frase: «Trabaja en
lo que te gusta y no trabajarás nunca más...».

El Tata

A fines de 1978, la dualidad universitario-futbolística llegó a su fin. Tras ocho años de esfuerzo, Pellegrini se tituló de ingeniero, lo que alivianó considerablemente su carga diaria. Sin embargo, confirmando sus altos niveles de autoexigencia, en el plan que elaboró el defensa jamás estuvo la posibilidad de desaprovechar las abundantes horas libres que otorga la rutina del jugador profesional.

Quizá influenciado por don Emilio, que mantenía el anhelo de ver a su hijo trabajando en un oficio tradicional, emprendió el desafío de ejercer su profesión universitaria en paralelo a su rol en la cancha. Emilio Torrealba, en ese momento presidente de Universidad de Chile, le solicitó a su amigo Alfonso Salinas que le diera al defensa azul la posibilidad de trabajar en su constructora.

Otra vez la doble vida: de estudiante-futbolista a profesional-futbolista.

El proyecto era comenzar a pavimentar el camino para dedicarse a la ingeniería cuando llegara el momento de colgar los botines, por lo que empezó a participar en distintos proyectos arquitectónicos.

A esa altura, la opción de seguir ligado al fútbol tras el retiro no existía y en la familia veían con entusiasmo cómo Manuel levantaba sus primeros edificios en distintos puntos de Santiago.

Todo controlado, todo programado.

Sin embargo, en 1979 se produjo el hecho que cambió para siempre las prioridades del capitán de la U, cuando Fernando Riera, el «Tata», firmó como nuevo entrenador de Universidad de Chile.

Con una dilatada trayectoria, Riera fue el DT que llevó a Chile al tercer lugar en el Mundial de 1962, y en sus 35 años como entrenador dirigió en Chile, Portugal, Uruguay, Argentina, España y México, sentándose en la banca de doce equipos, en seis países distintos. Con un palmarés que muestra dos ligas con el Benfica, tres títulos de Copa Chile con Universidad de

Chile, Universidad Católica y Palestino, y el subcampeonato de la Liga de Campeones de Europa con el Benfica del mítico Eusébio, la «Pantera», uno de los mejores jugadores de la historia.

Riera era mucho más que un técnico abocado a la pelota y lo que ocurría en la cancha. El semifinalista de Chile 1962 abordaba su oficio como una profesión integral, en la que el entrenador debía asumir responsabilidades formativas y gerenciales, no solo futbolísticas.

Con ese concepto y ya en la última etapa de su extensa y exitosa trayectoria, el Tata se hizo cargo del cuadro azul en la temporada 1979, año en que consiguió la Copa Polla Gol (hoy Copa Chile y único título de Pellegrini como futbolista) y clasificó a la Copa Libertadores de América. Disciplinado, preparado y profesional, el experimentado entrenador marcó a fuego a ese plantel de la U en las dos temporadas que alcanzó a dirigir.

Su planificado método de trabajo, la seriedad en el trato con los jugadores y la convicción con que defendía el rol del futbolista frente a la prensa y los dirigentes, deslumbraron a varios integrantes de aquel plantel. Incluso hizo despertar en varios de sus dirigidos —Salah y Pellegrini, primeros en la lista— la idea de evaluar la posibilidad de dedicarse a la carrera de técnico tras el retiro.

Raimundo Achondo, el «Mumo», fue compañero de Pellegrini en el centro de la línea defensiva de la U en los ochenta. Hoy recuerda: «La admiración que despertaba don Fernando en Arturo [Salah] y Manuel [Pellegrini] era total. Ambos quedaron impresionados con el nivel que tenía el Tata, con su preparación. Cada vez que nos juntábamos comentaban lo que Riera hacía o decía. Era un tema de conversación permanente. Si hasta adquirieron algunos gestos y formas de hablar de él, a mi juicio».

Juntos jugaron 57 partidos, pero más allá de la relación futbolística, el Mumo se convirtió en uno de los amigos más cercanos de Pellegrini. Esa amistad se mantiene hasta el día de hoy y el empresario turístico es parte del reducido círculo íntimo del DT del Manchester City: «No hay dudas de que el contacto con Riera terminó siendo fundamental para despertarle la vocación de entrenador. Hay un antes y un después. Claramente, a todos los que alcanzamos a conocer a don Fernando —y eso que a mí me dirigió muy poco porque renunció justo después de mi llegada al club—, nos quedó la imagen de un hombre dedicado ciento por ciento al fútbol y con un nivel de compromiso y profesionalismo muy por sobre la media. Pero para Arturo y Manuel, el impacto fue aun mayor, al punto de que determinó lo que harían con sus vidas cuando dejaran de ser futbolistas».

La impresión del Mumo sobre el impacto que generó la convivencia con Riera ha sido reconocida por Pellegrini en reiteradas oportunidades. Incluso en junio de 2009, con el Ingeniero recién llegado al Real Madrid e instalado en la cima del fútbol internacional, el diario *Marca* de España publicó un artículo titulado «El hombre que cambió la vida de Pellegrini». Ahí el técnico reconocía: «A mí no se me pasaba ni por la mente ser entrenador, pero cuando lo tuve [a Riera] despertó en mí y en varios más esta vocación. […] Él dignificó esta profesión y trajo a Chile los cursos de entrenadores desde Francia».

Ese último dato que entregaba Pellegrini en el artículo apuntaba a uno de los conceptos claves en su visión del entrenador: la preparación. La posibilidad de perfeccionarse, de transformar el oficio de técnico en algo más que una suma de decisiones futbolísticas al borde de la cancha. Una idea que el Ingeniero se tomó muy en serio a partir del momento en que conoció a quien terminaría siendo su gran inspiración.

CONOCIMIENTO

«Al principio de mi carrera, si hubiera podido saber que iba a llegar a los niveles que he alcanzado, no me lo habría creído. Pero me preparé por si llegaba. Invertí muchas horas en perfeccionarme personalmente en los entrenamientos, el liderazgo, etcétera, porque estoy seguro de que no hay ninguna posibilidad de llegar donde se quiere sin preparación. Por eso me preocupé mucho, sobre todo en aquellos ámbitos que me consideraba débil.»

Pellegrini se acomoda en el sillón y habla con soltura de lo que ha sido otro pilar de su carrera: la capacitación.

«Estudiar», «leer» son conceptos que se repiten en el diálogo con el Ingeniero cuando repasa su recorrido como entrenador.

Para el chileno, la trilogía del éxito tiene un orden lógico: vocación, preparación y dedicación. Sin esos tres conceptos no hay estructura profesional que se sostenga.

A principios de los ochenta, el ejemplo de Riera comenzó a despertar su vocación de técnico. Ahí se inició todo. Luego vino el siguiente paso en el orden lógico establecido por su estructura mental: empezar a prepararse.

En esa etapa, el papel que cumplió Arturo Salah fue muy importante. Colegas en el fútbol y la ingeniería, amigos y admiradores de la filosofía profesional del Tata, el puntero izquierdo y el zaguero se acompañaron en los primeros pasos del largo camino del perfeccionamiento.

En 1984, con Salah ya retirado y trabajando como DT en las series juveniles de Universidad Católica, la dupla decidió seguir el ejemplo de su mentor y se matriculó en un curso de entrenadores en Francia. La idea era conocer los conceptos y estilo de trabajo de la escuela francesa, la misma que había adoptado Riera en su formación como técnico. Salah recuerda: «Nos inscribimos en un curso de francés en el Instituto Francés-Canadiense de Cultura. Yo no hablaba nada; él, en cambio, tenía bastantes nociones ya que fue al colegio de los Padres Franceses: los SS.CC. de Manquehue. Además tenía muchas facilidades para los idiomas y hablaba inglés también, porque cuando niño estudió en el Saint George's College.

»Apuntando al curso en Francia íbamos a clases en el instituto todos los días desde las ocho de la mañana. De ahí partíamos rajados a entrenar. Él como jugador a la U y yo como técnico a la Católica. Estuvimos cerca de seis meses con esa rutina. Lamentablemente sufrió una lesión grave en una de sus rodillas y tuvo que operarse, por lo que no pudo viajar y fui solo. Se trató de una gran experiencia en la que compartí con técnicos que llegarían muy lejos, como Arsène Wenger. Obviamente, cuando volví a Chile, acogió entusiastamente todo lo que le conté del curso.»

A pesar de la fallida experiencia francesa, Pellegrini continuó con su idea del perfeccionamiento en el extranjero. A mediados de 1985, y otra vez con Salah, se inscribieron en el curso de entrenadores de Coverciano, sede de las selecciones italianas. Al igual que Pellegrini Ripamonti, Salah Cassani tenía ancestros italianos, por lo que esta vez no requirieron de clases para entender el idioma.

La experiencia resultó muy enriquecedora, según el ex entrenador de la selección chilena: «Era un curso muy intenso, con charlas y trabajo en cancha durante todo el día. Se dormía ahí mismo y las actividades comenzaban temprano, a las siete de la mañana, y duraban hasta la noche. Obviamente, lo financiábamos nosotros mismos.

»Se armaban grupos de cuatro, cinco técnicos, y desarrollábamos algún concepto y metodología. Todo muy funcional, pero más bien teórico, de mucho contenido. Ahí compartimos con el ex arquero Dino Zoff [campeón del mundo en España 1982] y tuvimos charlas con Enzo Bearzot [DT de la Italia campeona en el mismo Mundial]».

Para la dupla de amigos se trató de una experiencia que les permitió conocer en detalle una de las características que más les había llamado la atención del trabajo de Riera: su visión global de una institución, mucho más amplia que la clásica del entrenador concentrado solo en la cancha.

«En Coverciano tuvimos la opción de compartir con muchos directores deportivos de clubes italianos», cuenta Salah. «Ese era un rol que en los ochenta no existía en los equipos chilenos. Nosotros solo lo habíamos visto en la forma de trabajar de Riera. Ese contacto con los directores deportivos fue muy útil para nuestro futuro».

Al regreso de Italia, Pellegrini comenzaría a disputar sus últimos partidos como futbolista profesional. A esa altura, aunque mantenía algunas actividades laborales en la sociedad constructora formada por su padre y que en ese momento gestionaba su hermano Pablo, Manuel ya estaba totalmente convencido de que en la banca estaba su futuro.

Años más tarde reconoció que en un principio pensó compatibilizar ambas actividades, pero con el tiempo la vocación futbolística se impuso con claridad sobre la ingenieril.

Fanático de todas las revistas internacionales de fútbol, aprovechaba su facilidad con los idiomas para devorarse publicaciones como *France Football* y el *Guerin Sportivo* italiano. Un legado que adoptó de Fernando Riera, quien le subrayaba párrafos que le parecían interesantes de esas revistas extranjeras.

Todo se enmarcaba en el plan estratégico que apuntaba a acumular las herramientas para ganarse el elemento clave en la carrera de cualquier entrenador: el respeto del camarín.

Cuando ha pasado más de un cuarto de siglo desde la construcción de los cimientos que sostienen su trayectoria, hoy Pellegrini explica su estrategia con la convicción de quien se siente realizado: «Creo que la base para llegar al jugador ha sido mi preparación. Era un convencido de que tenía que tenerla si me quería dedicar a esta carrera, de que tenía que llegar a los jugadores desde todas las aéreas […] Cuando opté por este camino siempre dije que esa era mi primera obligación, porque el jugador se da cuenta cuando tiene una persona capacitada al frente. Se siente en la manera de expresarse, por las palabras que usa, por la cantidad de temas que sabe y puede tocar. Por eso tenía que saber de idiomas, de historia, de anécdotas, una serie de cosas que te permiten llegar al jugador y evitar que te rechace».

El razonamiento de Pellegrini gana valor cuando se conversa con distintos futbolistas que el DT ha dirigido en diversas etapas, diferentes países y disímiles contextos en los once clubes donde ha ejercido como entrenador.

Desde sus inicios en Universidad de Chile hasta su presente en el Manchester City, el Ingeniero ha logrado ganarse la confianza del camarín gracias al nivel de manejo que le ha demostrado a sus dirigidos. Ese es, en la inmensa mayoría de los casos, el testimonio que se recoge de sus jugadores.

Según explica Rodrigo Gómez, mediocampista que fue dirigido por Pellegrini en Palestino (1990-1992) y Universidad Católica (1994-1996): «Tú veías entrar al camarín a este tipo alto, bien vestido y muy respetuoso en el trato, e inmediatamente te llamaba la atención. Después te dabas cuenta de que manejaba un caudal de información futbolística impresionante, que tenía una organización de trabajo absolutamente planificada y que utilizaba formas de entrenamiento novedosas, variadas y muy poco comunes para Chile en esa época. Entonces, era imposible que el jugador no respetara a un entrenador así».

El atacante Eduardo Hurtado, seleccionado de Ecuador en la década del noventa, fue campeón del Torneo Ecuatoriano de 1999 con Pellegrini como técnico en la Liga Universitaria de Quito. El «Tanque» cuenta sobre la primera experiencia en el extranjero del chileno: «Llegó a Ecuador sin un gran cartel, pero rápidamente se ganó el respeto del vestuario. Yo lo ubicaba porque había jugado en Colo-Colo cuando él estaba en la Católica, así que para mí no fue una novedad, pero el resto de mis compañeros que no lo conocían quedaron rápidamente sorprendidos por las diversas herramientas que manejaba. Él tenía la capacidad de llegar al futbolista en forma simple, directa, ciento por ciento profesional. Se notaba que su dedicación era absoluta».

En Buenos Aires, los testimonios también confirman la teoría de Pellegrini para obtener el compromiso del jugador.

Según Pablo Michelini, mediocampista dirigido por el chileno en San Lorenzo: «Tenía un estilo muy tranquilo, que irradiaba confianza. Y eso al jugador siempre le gusta. Se ganó rápido al camarín porque se notaba que era un entrenador muy preparado, que lee y habla en varios idiomas sin problemas y que te dice las cosas de frente, directamente. Además, a uno le llamaba la atención el convencimiento táctico que tenía. Jamás dudaba, siempre estaba recalcando la necesidad de mantener lo que queríamos como equipo, independientemente de los resultados. Eso solo lo puede transmitir alguien que tiene los argumentos para llegar al grupo».

Conceptos muy similares a los de Michelini entrega en Manchester Pablo Zabaleta, seleccionado argentino y actual lateral de Pellegrini en el City: «Es muy completo. Tiene buen trato con el jugador, es claro y su nivel de preparación facilita mucho las cosas. Acá en el City, por ejemplo, tenemos muchos jugadores que hablamos español y se hace todo más fácil, pero él se comunica sin problemas en inglés también y con el grupo de franceses tampoco tiene inconvenientes. Se maneja a un nivel superior».

EL VIAJE MALDITO

Tras su retiro como jugador en enero de 1987, Pellegrini aceptó la invitación del presidente de Universidad de Chile, Waldo Green, y comenzó a dirigir en los equipos juveniles del club. A esa altura, la institución ya vivía una seria crisis económica, la que redundaba en un discreto nivel competitivo con una larga sequía de títulos desde 1969 y un desorden institucional que terminaría costándole muy caro un par de años después.

Tras una temporada dirigiendo en el fútbol joven, el Ingeniero era muy consciente de que su etapa de aprendizaje como entrenador estaba aún en pañales y rechazó, al menos en dos oportunidades, la opción de hacerse cargo del primer equipo azul. La U sufría una rotación constante de técnicos debido a los malos resultados y no había recursos económicos para potenciar un plantel muy disminuido y sin grandes figuras. Sin embargo, a dos semanas del inicio del campeonato de 1988, Waldo Green le pidió otra vez al Ingeniero que asumiera la dirección técnica del plantel profesional tras la renuncia del DT Alberto Quintano.

El ex compañero de Quintano accedió a la petición de Green y dirigió su primera práctica al mando del plantel adulto el 28 de junio de 1988, una determinación que marcaría para siempre la carrera del técnico, quien en entrevistas posteriores reconocería que «el paso por la U es lo único que no me repetiría como entrenador. Asumí días antes del inicio del campeonato oficial, con un plantel que no armé y con dudas sobre su capacidad, eso lo sabían los dirigentes. Fue una experiencia dolorosa, pero tremendamente formativa. En un año aprendí más de lo que asimila cualquier técnico en una década; armé una coraza como para aceptar situaciones posteriores sin ningún tipo de problemas».

Las primeras semanas de la aventura en una banca profesional de Pellegrini fueron auspiciosas. La U se mantuvo invicta hasta la sexta fecha del torneo y cuando la tabla ubicaba al cuadro azul en una confortable cuarta ubicación, se produjo el punto de inflexión en esa campaña que quedaría escrita con letras negras en la historia del club: Manuel, aún inmerso en su proyecto personal de perfeccionamiento y preparación, y otra vez en compañía de Arturo Salah, viajó a Inglaterra durante un mes para realizar otro curso de técnico.

El lugar era el Centro Nacional Deportivo de Lilleshall, complejo de entrenamientos de las selecciones inglesas entre 1984 y 1995. Salah afirma: «De Inglaterra nos trajimos muchas cosas prácticas: metodología en cancha para los entrenamientos a través del juego reducido, los ejercicios con balón para generar espacios e imitar distintas realidades de un partido, la simulación de acciones para que el jugador se habituara al *pressing*, la pasada de los laterales, el inicio de la fase ofensiva a través del robo del balón, etcétera. Fueron cuatro semanas de un aprendizaje práctico extraordinario».

Pellegrini seguía acumulando conocimiento y cumpliendo con su mandamiento de la preparación para consolidarse como entrenador. El problema es que mientras en Inglaterra él absorbía información, en Chile la U cumplía una paupérrima campaña, perdiendo consecutivamente los cuatro partidos en que el equipo quedó a cargo de los técnicos asistentes Carlos Urzúa y Jorge Zelada. Fue el inicio de una escalada de malos resultados que mandaron al equipo a la parte baja de la tabla.

A su regreso a Chile, Pellegrini logró imprimirle una mecánica de juego a su plantel, pero los resultados no llegaron. A la evidente falta de finiquito se agregó la inseguridad de un grupo de jugadores que fue perdiendo la confianza a medida que el fantasma del descenso histórico empezaba a acecharlo.

El DT fue incapaz de revertir la situación y se llegó a la última fecha del certamen con la obligación de vencer a Cobresal, el 15 de enero de 1989 en el Estadio Nacional. El 2-2 final y el triunfo de Unión Española —el otro equipo en peligro— ante Universidad Católica determinó el primer y único descenso en la historia de Universidad de Chile. Pellegrini, por diferencia de goles, se iba a Segunda en su primera experiencia en la banca.

Un golpe al ego y a las propias convicciones para cualquier profesional debutante. La construcción de «una coraza útil para el aprendizaje», según afirma el entrenador.

Días después de descender, en una entrevista a la revista *Minuto 90*, el en ese momento reportero Harold Mayne-Nicholls le preguntó al DT si se arrepentía de haber abandonado un mes completo al equipo para viajar a perfeccionarse a Inglaterra. La respuesta fue tajante: «Si pudiera volver el tiempo atrás no iría nuevamente al curso. Pienso que un técnico no puede estar tanto tiempo alejado en pleno campeonato».

Ante la imposibilidad de cambiar el pasado, Pellegrini tuvo que concentrarse en el presente y mantuvo su proyecto personal futuro tras el descenso con la U. Aún impactado por lo ocurrido, en distintas entrevistas afirmó que los números de la campaña azul deberían haber bastado para salvar al equipo.

De un total de 28 cotejos, Universidad de Chile perdió nueve (ocho de esos por 1-0), empató doce y ganó siete. Una campaña muy discreta, pero matemáticamente superior al promedio de los rendimientos históricos de los cuadros que pierden la categoría. Desde esa temporada de 1988, todos los equipos que han descendido lo han hecho con rendimientos inferiores al 46 por ciento que alcanzaron lo azules.

Quizá esos datos permitieron que Pellegrini se mantuviera en su cargo a pesar de la histórica pérdida de la categoría. Sin embargo, la aventura no alcanzó para revancha, ya que el técnico solo dirigió nueve partidos del Torneo de Apertura 1989. La campaña no era mala para un recién descendido (cuatro duelos ganados, tres empatados y dos perdidos), pero la realidad institucional del club no mejoraba y el Ingeniero decidió dar un paso al costado afirmando que «no están las condiciones para hacer un trabajo serio».

«No están las condiciones», una frase que Pellegrini repetiría varias veces durante su primera etapa como técnico en las bancas chilenas (1988-1998). Un período en el que debió enfrentar situaciones que distaban mucho del concepto de profesionalismo que él entendía debía tener la actividad.

En esos primeros años, antes de iniciar su peregrinaje futbolístico en Ecuador con la Liga Deportiva Universitaria de Quito en 1999, el DT vivió en una constante dicotomía entre los elogios y las críticas del medio local. Una realidad que el entrenador asimiló manteniendo sus convicciones, pero que poco a poco fue convenciéndolo de una idea que le compartió, a mediados de los años noventa, a un grupo de sus dirigidos en Universidad Católica y que hoy narra uno de ellos, Rodrigo Gómez: «Así somos en Chile, no queda otra que buscar afuera, en medios más profesionalizados. A mí, entre más profesional sea el medio, más opciones tengo de que me vaya bien…»

CAPÍTULO 3

Hablemos de fútbol

Identidad

—¿Qué tal, Josep? Queríamos conversar con usted sobre Pellegrini…

—¿Pellegrini? ¿De Manuel Pellegrini?

—Sí. Estamos trabajando en un libro sobre el técnico chileno y su testimonio sería muy valioso.

—¡Vamos! No hay problema. Me considero un gran fan suyo. He aprendido mucho de él, muchos conceptos. Tengo la suerte de considerarme un admirador y un colega suyo.

Josep Guardiola («Pep») es el centro de atención en el salón más grande del hotel The Westin Grand, en Múnich. Más de cuarenta cámaras siguen todos los movimientos del entrenador del Bayern Munich, quien pasa por momentos complicados con la prensa germana debido a una reciente derrota por penales frente al Wolfsburgo, en la final de la Supercopa alemana.

El técnico catalán acaba de participar en la conferencia de prensa previa al inicio de la Copa Audi 2015, el tradicional torneo de pretemporada que todos los años organiza la marca de autos junto al Bayern, club que desde 2013 es dirigido por uno de los técnicos más respetados del mundo tras su exitoso paso por el Barcelona entre los años 2008 y 2012.

Pep saluda y trata de ser cortés con todos los que se le acercan. Actúa como si fuera el anfitrión del evento y, terminada la rueda de prensa oficial, comparte amenamente con Rafael Benítez, Mauricio Pochettino y Sinisa Mihajlovic, entrenadores del Real Madrid, el Tottenham y el AC Milan, respectivamente, los otros equipos que jugarán el minicertamen.

Luego de diez minutos de vida social y relaciones públicas futbolísticas, Guardiola atraviesa la puerta del salón principal y aparece en un hall más pequeño del nivel -1 del hotel. Ahí el catalán, tras desmarcarse de una marea de periodistas, acepta charlar sobre Pellegrini, haciendo una excepción a una norma autoimpuesta de no dar entrevistas individuales y hablar solamente para las conferencias de prensa.

Sin la ropa institucional de su club, vestido con un look sport de camiseta ajustada negra, pantalón de gabardina café claro y zapatillas de lona blancas, amablemente inicia el diálogo sin guardarse ningún concepto sobre el chileno.

—Yo me siento un seguidor de Pellegrini, de su filosofía de juego. Uno podría ver uno de sus equipos sin saber quién lo entrena y sabría de inmediato que es un cuadro de Pellegrini, por su manera de jugar.

—¿Cuál es esa manera de jugar?

—A Pellegrini le gustan los buenos jugadores, controlar el balón, ir siempre para adelante. Sus equipos juegan muy bien. Yo me divierto viéndolos. Es un entrenador que tiene muy claras sus ideas.

—Le ha tocado enfrentarlo varias veces…

—Sí, y le he sufrido cuando él estaba en el Villarreal o el Real Madrid y yo en el Barcelona. Lo mismo ahora con él en el City y yo acá en el Bayern.

Las generosas frases y la expresión en el rostro de Guardiola reflejan respeto, a pesar de que la estadística de los enfrentamientos entre ambos es contundente en favor del catalán en los doce partidos que han chocado: nueve triunfos para Pep, apenas dos para el Ingeniero y un solo empate.

—Usted elogia a Pellegrini, pero claramente le ha tomado la mano. Las cifras muestran una gran superioridad en los duelos entre ambos…

—No, eso da igual. No importa si se gana o se pierde. Un entrenador es bueno cuando tienes que pensar en cómo hay que enfrentarle. Cuando te hace pensar mucho en cómo ganarle. Y eso pasa siempre con Pellegrini.

—¿Y qué es lo que más rescata usted del chileno?

—Pellegrini es un entrenador que tiene muy claras sus ideas y logra plasmarlas en todos los equipos que ha dirigido. Le gusta jugar un buen fútbol. Sus equipos dominan, y no dejan jugar al contrincante. Ahí está la clave de su idea futbolística y siempre la respeta.

Los conceptos vertidos por el entrenador del cuadro bávaro se repiten en otros técnicos de renombre a la hora de destacar la identidad que Pellegrini logra dar a sus equipos.

Esa capacidad constituye un anhelo capital en la gran mayoría de los DT de la élite futbolística. Todos la buscan y los que la logran dejan su sello en las instituciones por las que pasan.

Esa sentencia tan simple se ha transformado en un reconocimiento muy valioso en la historia del Ingeniero en la banca. Constituye uno de sus principales orgullos profesionales, más allá de los títulos, incluso.

Por eso no esconde su satisfacción cuando le cuento de los elogios de sus reputados colegas. Sabe que esas expresiones de respeto valen mucho.

«A mí lo que más me llena es lograr que mis equipos jueguen bien, den espectáculo, respeten al hincha que pagó su entrada o está viendo el partido por televisión», afirma Pellegrini. «Porque ganar se puede de muchas maneras, incluso jugando mal. Pero a mí no me da lo mismo el cómo, sino que intento inculcarle a mis jugadores el compromiso por el espectáculo, el protagonismo, la vocación de ataque permanente.

»Obviamente me da mucho gusto que técnicos importantes destaquen que mis equipos juegan bien. Es un gran halago y me alegro de haber podido conseguir una identidad basada en mi forma de ver el fútbol. No digo que sea la única ni la mejor, pero es la forma en que yo disfruto el fútbol.»

INGENIERÍA DEL JUEGO

No son pocos los técnicos internacionales que tienen una profesión universitaria en paralelo a su oficio de entrenador.

Al conocido caso del ingeniero Pellegrini se suman el del «Maestro» Óscar Washington Tabárez, DT de la selección uruguaya, que se recibió de profesor primario. Está el del «Doctor» Carlos Salvador Bilardo, especialista en ginecología, que se convirtió en campeón del mundo con Argentina en México 1986; y así, hay varios ejemplos más.

Otro es el del italiano Fabio Capello, todo un referente técnico de los últimos veinticinco años. El ex DT de las selecciones de Rusia e Inglaterra, el AC Milan, la Roma, la Juventus y el Real Madrid, estudió geometría en paralelo a su recorrido como entrenador.

Pellegrini se sorprende al escuchar de ese lado «B» de Capello. No oculta su interés cuando le cuento que el italiano ha declarado que su otra pasión le ha sido útil, porque «la geometría y el fútbol tienen en común la búsqueda del equilibrio».

—¿En qué aspectos futbolísticos le ha servido a usted la ingeniería?

—Muchos piensan que me sirvió por el tema de las estadísticas o los cálculos. Me gustan mucho las estadísticas y las uso, porque las creo útiles para tomar decisiones. Pero en lo que realmente me ha servido mi carrera de ingeniero es para enfrentar lo que me presenta el fútbol.

»La ingeniería es una forma de enfrentar los problemas a través de un orden prioritario. Tiene que haber una secuencia para generar una solución exacta a las circunstancias que el fútbol nos enfrenta. Ese camino la ingeniería lo facilita, porque te ordena la mente; esa es su gracia.»

—Para alguien formado en una ciencia exacta como la ingeniería no debe ser fácil enfrentarse a las constantes inexactitudes y errores que tiene el juego. ¿Manejar eso es un problema, un desafío, o se convierte en una obsesión?

—Es un desafío, por supuesto, porque no tiene solución lógica. Aunque muchas veces creo que el camino para encontrar las respuestas está dentro de la lógica, precisamente. De esa parte intento no alejarme mucho, porque independientemente de los errores que pueden o no aparecer en un partido, hay cosas que seguro van a suceder y hay que estar preparado.

»Si uno no enfrentara con método el trabajo, habría una infinidad de cosas perjudiciales que ocurrirían si uno no se hubiera preparado para esas coyunturas del juego.»

—Y más allá de los cálculos racionales, ¿dónde aparece el talento natural?

—Cuando uno tiene que resolver el problema. Muchas personas pueden saber cómo enfrentar un problema, pero después hay que encontrar los caminos exactos para resolverlo. Eso es lo más difícil. Y el fútbol tiene tantos parámetros, depende de tantas cosas, que es muy difícil compararlo con la ingeniería, campo en el que no se pueden cometer errores de cálculo, por ejemplo. Pero el cálculo es matemática y la matemática es exacta. El fútbol, no. Entonces, en cualquier profesión y en este caso en la de entrenador, la gracia, la diferencia, va a estar en cómo eres capaz de arreglar los problemas que se te presentan.

Pellegrini se nota muy cómodo hablando de fútbol. Es uno de los tantos entrenadores que se quejan, y con razón, de que los medios masivos están más preocupados de lo anecdótico, de la polémica fácil, del resultado puntual, antes que del fútbol o del juego.

Esa es la palabra clave en el decálogo técnico del chileno: el juego. Ahí está el camino para llegar al triunfo. Movilidad, posesión, técnica, elaboración, profundidad, recuperación, generación de espacios y rendimiento, son los conceptos que más se repiten en la conversación futbolística con el Ingeniero. Ideas que el DT intenta introducir en el ADN de sus dirigidos, con el objetivo de formar equipos que sean capaces de alcanzar el éxito a través de un fútbol atractivo y ofensivo.

«Es un entrenador que disfruta el buen juego. Le gusta atacar permanentemente. No se conforma con ir dominando el partido, te exige ir siempre hacia adelante y se molesta cuando eso no ocurre en la cancha, independientemente de que vayas ganando o no», responde Yaya Touré, una de las máximas estrellas del Manchester City, cuando se le pregunta por el paladar futbolístico del técnico chileno.

Convertido en uno de los mediocampistas más talentosos del mundo y figura consular de la Premier League, el marfileño camina relajadamente por el estacionamiento de la Ciudad Deportiva del City con su imponente metro noventa y dos centímetros de altura.

La práctica de los Cityzens ha terminado, y el «Mejor Futbolista Africano del Año» por cuarta vez consecutiva (2011-2014), conversa animadamente con un amigo mientras se sacan fotos apoyados en un Lamborghini Lp700-4 dorado. Se ve un tipo muy ameno, simpático. No tiene problemas para agendar una conversación sobre su entrenador: «La temporada pasada, en un partido frente al Aston Villa, nos fuimos al descanso ganando, pero no estábamos jugando bien. Llegamos al vestuario y Pellegrini estaba muy molesto. Nos dijo que no servía de nada entrenar toda la semana para jugar al ataque si en el partido nos poníamos a defender tras conseguir la ventaja. Ese tipo de cosas son las que me han marcado desde que llegó al club, porque a mí me encanta esa manera de jugar que aprendí cuando estuve en el Barcelona» (2007-2010).

Touré es un jugador fundamental en la búsqueda del desequilibrio ofensivo para Pellegrini. Punto de referencia en la mitad de la cancha, el africano posee una clase superlativa y conoce al dedillo la «ingeniería del juego» del chileno: «Él es el entrenador ideal para mí, porque entiende el fútbol como a mí me gusta, es decir, al ataque, bonito. Él no te pide nada extraordinario o complicado. A mí me dice que me divierta, que saque al equipo hacia delante, que apoye a los más jóvenes, pero siempre pensando en atacar. Con Mancini, en cambio, eso era mucho más difícil».

Touré recuerda a Roberto Mancini, el antecesor de Pellegrini en Manchester. El técnico italiano también consiguió un título con los Cityzens, pero con una propuesta futbolística mezquina, basada en la solidez defensiva y el juego de contragolpe.

La diferenciación que hace el marfileño entre las propuestas de ambos técnicos fue uno de los principales argumentos utilizados por la directiva del club al momento de destituir a Mancini y contratar al chileno en mayo de 2013.

Así lo explica Txiki Begiristain, director de fútbol del Manchester City: «Fue un tema de estilo. Es un entrenador al que le he seguido toda su carrera en España y cuando llegué a este club, el 2012, tenía que buscar un cambio de estilo. Estaba Mancini que era muy diferente y nosotros pensábamos que el City necesitaba un fútbol atractivo. Ese fútbol, con Manuel en la banca, iba a ser una garantía».

Colegas

Más allá del respeto mutuo y de la «buena vibra», Guardiola y Pellegrini han mantenido una excelente relación mediática desde que empezaron a coincidir como rivales en la Liga española.

Con elogios públicos y expresión de mutua cordialidad durante los encuentros, entre ambos existe una concordancia en la manera de enfrentar la profesión de técnico, la que va más allá de la similitud en las propuestas futbolísticas.

El Ingeniero respeta a Pep y el nombre del catalán es el primero que aparece cuando se le pregunta por cuál es el técnico contemporáneo que más admira: «Guardiola produjo una transformación importante del fútbol. Logró mezclar el estilo de juego tradicional del Barcelona con los conceptos tácticos de intensidad y recuperación de pelota que adquirió en su paso por el fútbol italiano (Guardiola jugó en el Brescia de la Serie A italiana en la temporada 2002-03)».

Para Pellegrini, el nacido en Sampedor aumentó la competitividad del cuadro «culé» a su máximo nivel, superando incluso al gran equipo que ganó la Liga y la Champions bajo la tutela del holandés Frank Rijkaard, antecesor de Guardiola en Cataluña: «El de Rijkaard era también un equipo muy difícil de enfrentar, era buenísimo. Estaba recién comenzando Messi; estaba Ronaldinho en su mejor momento. Por eso ganó todo, era un equipazo. Pero a mi juicio era más factible darle pelea en comparación al de Pep. Era más ganable».

—¿Qué le agregó Guardiola al Barça para hacerlo más competitivo?

—El *pressing* en campo contrario, porque el Barcelona jugaba con la pelota de maravilla, pero mucho más maravilloso era cómo la recuperaba. Siempre a sesenta metros de su arco. Ahí está lo que aprendió de su paso por Italia. Juntó las dos cosas, con grandes jugadores que no soltaban el balón, pero cuando lo perdían también lo recuperaban inmediatamente, transformándose en un equipo imbatible cuando tenía un buen día.

Cada vez que a Pellegrini se le pregunta por sus gustos futbolísticos, es reiterativo en afirmar que para él la forma en cómo se obtienen los resultados es tan importante como el resultado mismo. Siempre habla del respeto por el espectáculo, de la vocación ofensiva y del legado que significa para un técnico lograr que sus equipos muestren un juego atractivo.

Sin embargo, sobre gustos no hay nada escrito. Menos en el fútbol, y muchos entrenadores poseen una visión del juego y del espectáculo muy distintas a la del Ingeniero.

Un referente de esa visión más «pragmática» en la búsqueda del triunfo es el polémico José Mourinho, uno de los técnicos más exitosos del siglo XXI.

Para Pellegrini, el portugués se ha transformado en una especie de némesis. Se han enfrentado reiteradamente en España e Inglaterra con sus respectivos equipos, han protagonizado algunas polémicas mediáticas y han mantenido una gran rivalidad deportiva con propuestas futbolísticas que parecen diametralmente distintas.

«Mou» es lo que se llama un técnico resultadista, que lo ha ganado todo sin una línea permanente de juego. A veces sus equipos son muy ofensivos y en otras, muy defensivos. Lo que no cambia nunca es la competitividad que logra imprimirle a sus planteles, independientemente de las instituciones y los jugadores que le ha tocado dirigir.

Claramente a Pellegrini no le divierten las reiterativas preguntas sobre el DT del Chelsea. Pero tampoco las elude. Sabe que ambos están en la primera línea, en especial hoy, cuando dirigen en la misma liga inglesa a cuadros que pelean el título mano a mano:

—¿Qué le parecen los técnicos resultadistas? ¿Usted ve los partidos de esos equipos?

—Por supuesto. No puedo desligar lo profesional de lo personal. Los tengo que ver nomás.

—El Chelsea de Mourinho es uno de esos equipos. ¿Qué opina de Mou?

—Hace un tiempo en Inglaterra decían que el Chelsea de Mourinho era aburrido [tras obtener el título de la Premier League 2014-2015, parte de la prensa inglesa afirmó que el Chelsea era un equipo aburrido debido a su propuesta futbolística]. A mí no me parece que sea así, para nada.

»Lo que sí considero es que el Chelsea es egoísta, pero no aburrido. Es un equipo que mete mucha dinámica en el juego sin balón, pero ese concepto de fútbol no respeta el espectáculo, a mi juicio.

»Hay muchos millones de personas viendo el partido, pagan entradas muy caras. Estás viendo a grandes jugadores defender en vez de intentar llegar al arco rival. Es válido, y si tú ganas el campeonato va a ser mucho más valioso, pero no me parece que vaya en relación al espectáculo. Por eso lo creo un equipo egoísta, que lo único que quiere es ganar.»

—Pero el hincha lo que quiere es ganar títulos…

—Sí, el hincha quiere ganar, es cierto. Pero es distinto si lo logras jugando bien. Esa es la parte de la que discrepo. No soy un crítico, solo que difiero de la forma en cómo se logra el resultado. De lo que sí soy crítico es de las personas que están dispuestas a todo para ganar. Pero en lo que se refiere a la manera de jugar, son todas válidas. Campeonatos se han ganado de muchas formas.

Pellegrini ha reiterado que no se considera un enemigo de Mourinho, pero tampoco un amigo. El portugués, en tanto, ha ironizado afirmando que «no tenemos el número de teléfono del otro ni nos vamos a invitar a cenar a casa, pero no somos enemigos».

El chileno no tiene temas personales pendientes con Mou, pero afirma que discrepa de todo con él, tal como declaró en una entrevista en el diario *El Mercurio* en junio de 2015. Sin embargo, al profundizar sobre la capacidad que ha tenido el portugués para lograr el compromiso de sus dirigidos, Pellegrini no se guarda elogios para el entrenador que lo reemplazó en el Real Madrid: «Reconozco la competitividad que tienen sus equipos. Yo siempre le pido a mis jugadores respeto, compromiso y rendimiento, y creo que el compromiso que ha logrado Mourinho con su dirigidos es altísimo. Logra comprometerlos completamente con su manera de jugar».

—Diego Simeone ha logrado lo mismo en el Atlético de Madrid. Es cierto que el equipo no juega «lindo», pero tiene una gran competitividad…

—Totalmente. Simeone ha llegado a niveles que nunca nadie imaginaba que iba a lograr el Atlético. Pero si tú me preguntas si alguien se va a acordar de cómo jugaban los equipos de Simeone o Mourinho, no creo. Pero la competitividad que logran es espectacular.

—Mourinho ha dicho que «hay que ser estúpido para no jugar de contragolpe», ya que es la fórmula más efectiva de conseguir espacios…

—Lo entiendo perfectamente. Es mucho más fácil marcar y meterte atrás para esperar y aprovechar los espacios que te dejará el rival. Pero es cosa de preferencias, de gustos. Para mí, en cambio, la mejor manera de encontrar espacios respetando el espectáculo y al público que paga por ir a verte, es a través de la movilidad constante, la elaboración y el dominio del juego.

Número telefónico

Para la gran mayoría de los aficionados y la prensa deportiva, el dibujo táctico que presente un equipo al momento de comenzar un partido marcará la tendencia ofensiva o defensiva que le quiera imprimir un técnico a su alineación.

Generalmente, a los entrenadores les molesta que se les encasille con la numeración de esquemas como el 4-4-2, el 4-3-3, el 3-5-2 o el 4-2-3-1, por ejemplo. Los técnicos son reiterativos en afirmar que ese tipo de alineaciones no son rígidas y varían durante el desarrollo de un juego, dependiendo de las circunstancias de un partido y el rendimiento de los jugadores.

Manuel Pellegrini se ubica en ese grupo de técnicos que prefiere relativizar el valor del esquema inicial, pero al observar los dibujos tácticos que preferentemente ha utilizado en sus equipos, se aprecia una evolución en los últimos años.

Durante toda su trayectoria en Chile, Ecuador, Argentina y España, el 4-4-2 fue el sistema más ocupado por el chileno. Sin embargo, en sus dos primeras temporadas en Manchester, las estadísticas muestran que en el total de 108 partidos dirigidos, utilizó mayoritaria e indistintamente dos esquemas: el clásico 4-4-2 en 48 y el hoy muy de moda 4-2-3-1 en 58 encuentros (en los restantes seis optó por otros dibujos).

«El cómo te paras se define mucho por los jugadores que tienes a tu disposición», dice el DT. «En la temporada pasada con el City, por ejemplo (2014-2015), hubo un momento en que no teníamos atacantes, debido a las lesiones de Sergio Agüero, Edin Dzeko y Stevan Jovetic. Ahí hubo que armar un esquema echando mano a lo que había. Dejamos solo arriba a James Milner, que no es delantero, y armamos una especie de 4-1-4-1.

»En el fondo, uno irá eligiendo el sistema de acuerdo a las circunstancias de un partido, el rival, etcétera. Pero todo pasa por los jugadores, su capacidad técnica, movilidad, y lo más importante, el rendimiento. Si están o no en un buen día.

»En general, me acomodo más a jugar con dos puntas libres. Y esa preferencia se basa en una serie de factores que estimo permiten generar espacios y un buen volumen de ataque. La organización del juego será distinta dependiendo de las características de los dos de arriba que utilice. En el City, por ejemplo, es muy diferente si Agüero juega con Wilfried Bony al lado, que si lo hace con Jesús Navas. Al ser jugadores de distintas características, las variantes que entregan y la organización del juego también serán diferentes para maximizar las posibilidades que cada uno entrega.

»Lo mismo ocurre cuando se juega con un centro delantero tradicional y detrás de él, un mediapunta como David Silva, por ejemplo. Dependiendo de lo que se busque para determinado partido, Silva podrá jugar detrás del atacante de referencia o abierto por la banda. Si elijo esa última opción, lo más probable es que utilizaremos por la otra banda a un jugador similar como Samir Nasri. En fin, las opciones son infinitas y van mucho más allá que un determinado esquema como el 4-4-2, el 4-2-3-1, etcétera.»

—¿En esas definiciones influyen mucho las características del rival?

—Para mí, no. Naturalmente se maneja la información de las claves de tu rival, pero lo que a mí me interesa es imponer nuestra forma de jugar, nuestra propuesta, sin importar quién sea el adversario de turno.

La mantención a ultranza de la propia forma de jugar es uno de los aspectos más destacados por los jugadores que han sido dirigidos por Pellegrini.

Recién instalado en Montevideo para jugar por Peñarol tras dieciocho años haciendo goles fuera de Uruguay, Diego Forlán repasa sus positivas temporadas (2004-2007) con el Ingeniero en Villarreal: «Para mí fue un orgullo trabajar con él. Lo que hizo en el Villarreal fue extraordinario y tuve la suerte de ser parte de ese equipo que hizo historia metiéndose en una semifinal de Champions League y peleándole palmo a palmo a los grandes de España en la Liga».

»Siempre estaba muy tranquilo, independientemente del rival que viniera. Por supuesto que se tomaban las providencias y se estudiaban las características del otro equipo, pero todos los partidos se encaraban de la misma manera, con la intención de mantener nuestro estilo de siempre y ser protagonistas. Eso era lo que él más nos pedía.»

Alberto Acosta fue otro goleador que conoció de cerca la fidelidad de Pellegrini con su estilo de juego. El «Beto» fue dirigido por el chileno en Universidad Católica (máximo artillero del Torneo Nacional de 1994) y en su última etapa como jugador en San Lorenzo de Almagro, en las temporadas 2001 y 2002: «Tenía una confianza total en sus capacidades y en las de su equipo. Eso se lo transmitía permanentemente al camarín. Jamás ponía en duda nuestras convicciones futbolísticas. Esa actitud convencía al jugador, por lo que resultaba muy natural enfrentar todos los partidos de la misma manera, sin preocuparse demasiado de cómo jugaba el rival que tuvieras al frente. Lo importante era que nosotros hiciéramos bien las cosas a las que estábamos habituados».

Pero el apego al propio estilo también se ha transformado, cuando los resultados no han sido los esperados, en una crítica contra Pellegrini. Según los que cuestionan al técnico, su convencimiento táctico termina convirtiéndose en un dogma que hace predecibles a sus equipos.

Aquel reiterativo elogio de que «todos los cuadros del Ingeniero juegan igual», es para algunos un problema porque impediría generar sorpresa.

El técnico escucha atento, analiza la argumentación sobre aquella supuesta rigidez táctica de sus equipos, provocada por el excesivo orden de su sistema. Oye, mira y replica: «Lo que yo busco es un desorden ordenado. Así lo llamo. Normalmente, el orden es mantener a los jugadores en su posición fija. Los equipos mantienen a sus jugadores en esas posiciones fijas y eso, a mi juicio, facilita el trabajo defensivo.

»Cuando tú enfrentas a cuadros que utilizan permanentemente a dos jugadores abiertos por las bandas, por ejemplo, fijos por la izquierda y la derecha, a tu equipo le tocará marcar a esos jugadores que se moverán en un radio limitado por las funciones que les fueron asignadas. Para mí esa situación permite tomarle la mano a las características del adversario, aunque al final la capacidad individual sea lo más importante. Es distinto cuando tú le das libertad a tus mediocampistas para que roten, intercambien posiciones y aparezcan indistintamente en diversos espacios de la cancha.»

—¿Eso es lo que usted intenta en el City con Yaya Touré, Nasri y Silva, por ejemplo?

—Así es. Y si no son ellos será Navas o un Agüero más enganchado. Yo busco que ocupemos los espacios con sorpresa, no estacionando a los jugadores en posiciones fijas. Ahí está la libertad del desorden ordenado.

—En esa libertad que usted dice darle a sus volantes ¿estaría la clave para no ser predecible?

—En el fondo, yo le doy libertad absoluta de movimiento a mis jugadores para que ellos tomen las decisiones de acuerdo a la propia ubicación y a la del resto de sus compañeros, porque obviamente no nos sirve que estén todos a la izquierda y no haya nadie a la derecha, por ejemplo.

En paralelo a esa libertad individual, que según Pellegrini genera flexibilidad colectiva, existen conceptos tácticos que el DT chileno no transa. Es cierto que en sus veintiséis años de técnico ha mostrado una evolución al ir variando esquemas, pero también es patente que en la línea defensiva, a la hora de optar por un dibujo, ha existido una premisa inamovible: la línea de cuatro en el fondo.

Todos los equipos de Pellegrini se arman con cuatro defensas. En esa postura, el Ingeniero jamás ha cedido. ¿Por qué?

«Simplemente porque las dimensiones de la cancha se cubren mejor con cuatro jugadores», responde con su parsimonia habitual. «Son muy grandes los espacios que debe abarcar un defensa cuando se juega con tres atrás. Además la línea de cuatro, sumada a la presencia del "doble cinco" (forma en que se denomina en Argentina a los dos volantes centrales), permite darle una mayor libertad a los laterales para que se proyecten en el ataque».

Las bandas

La función de los laterales en los equipos de Pellegrini posee un rol protagónico. En esa posición ha optado por futbolistas con capacidad para proyectarse en ataque en la gran mayoría de sus cuadros.

Javi Venta y Rodolfo Arruabarrena fueron titulares indiscutidos por las bandas durante el paso del Ingeniero por el Villarreal de España. El hoy técnico de Boca Juniors conoció por dentro lo que Pellegrini espera de quienes corren por la línea lateral en sus equipos: «Me pedía ser sólido en la función defensiva. Estar atento a que no nos ganaran las espaldas, pero me daba absoluta libertad para proyectarme en el ataque. Mi principal virtud no era precisamente el desequilibrio ofensivo o la habilidad, pero él me pedía constantemente que subiera, me daba toda la confianza para transformarme en un agente ofensivo».

Radicado en Valencia y ya retirado del fútbol, Javi Venta se explaya animadamente sobre su experiencia con Pellegrini. A pocas cuadras del estadio Mestalla, el ex lateral comparte un café para relatar su experiencia con el chileno en Villarreal: «Le estoy muy agradecido a Pellegrini porque siempre me dio su confianza. Fui titular durante cinco temporadas, a pesar de que todos los años traían a algún lateral de afuera para hacerme la competencia. Pero él me confirmó siempre en la titularidad. Si tú le respondes y mantienes un buen rendimiento, él no te toca.

»En lo táctico me daba mucha libertad para el ataque. No te recriminaba nunca por subir. Mi tarea era buscar el espacio, no hacer paredes ni buscar el juego al pie. Me decía que no participara del toque, que para eso tenía jugadores talentosos al medio. Mi misión era ir por el espacio que ellos, los mediocampistas, encontrarían para habilitarme. Me decía que me desmarcara, que intentara aparecer sorprendiendo.

»Pero más allá de mi función específica por la banda o de lo que a mí me pedía, lo que más recuerdo es que como defensa, viendo muchas veces desde atrás jugar al equipo, me divertía, disfrutaba por lo bien que jugábamos. Eso nunca me pasó con otro entrenador.»

Pablo Zabaleta es otro de los laterales que han tenido continuidad con Pellegrini como técnico. Instalado en una de las salas de reuniones del edificio corporativo del Manchester City, asegura que la profundidad es un concepto muy recurrente en las instrucciones que le entrega su DT: «Me pide que tenga capacidad de desborde, intención en los centros al área o en las habilitaciones hacia atrás para que llegue algún compañero a definir por el centro. Los laterales tenemos que darle salida clara al equipo. Esas son instrucciones permanentes en él».

Pieza clave e inamovible en el primer año del chileno en Manchester —el de los títulos de la Premier y la Capital One—, el seleccionado argentino tuvo un rendimiento irregular en la segunda parte de la temporada 2014-2015, quedando relegado a la suplencia en varios partidos en favor del lateral francés Bacary Sagna.

«Pellegrini busca armar planteles competitivos con dos jugadores por puesto, así que uno tiene que trabajar mucho para jugar», agrega. «Nadie tiene la titularidad asegurada. Pero él es muy tranquilo, y a la hora de tomar sus decisiones tiene criterio. El año pasado, por ejemplo (diciembre 2014), fui padre de mi primer hijo acá en Inglaterra. Fueron semanas en las que dormí muy poco, andaba muerto en los entrenamientos y Pellegrini se me acercó para decirme que ser padre era lo mejor que me iba a pasar en la vida y que me entendía, que a él le había pasado lo mismo cuando era jugador, pero que me iba a sacar del equipo porque no me veía ciento por ciento enchufado [sic]. ¿Qué le va a decir uno? ¡Si yo también me daba cuenta!»

La anécdota que relata Zabaleta tuvo su historia paralela a miles de kilómetros de distancia con Raimundo Achondo, integrante del grupo de amigos más cercano del técnico: «Es receptivo a los comentarios futbolísticos que le hacemos los amigos por WhatsApp. Nos permite preguntarle cosas y siempre te da argumentos. El año pasado yo no entendía por qué ponía a Sagna en vez de a Zabaleta, que para mí es un jugadorazo. Él no se molesta, te explica en detalle por qué toma sus decisiones, y uno termina dándose cuenta de que no maneja la información que él tiene a diario de su plantel. Aquella vez nos contó que Zabaleta estaba con la cabeza en otra parte porque había sido papá y se acabó la discusión».

Distinta suerte corrió Gonzalo Jimeno con la «polémica Zabaleta-Sagna». El «Conejo», como lo conocen los amigos del grupo de Pellegrini en el Club de Polo San Cristóbal de Santiago, también cuestionó el cambio del francés por el argentino, pero la respuesta que recibió desde Inglaterra fue muy distinta: «Él se ríe de nosotros cuando le protestamos por algunas decisiones técnicas. Muchas veces se da tiempo para explicarte, pero en otras se aburre rápido. Eso me pasó el año pasado cuando lo recriminé por Zabaleta y Sagna. No me dio mucha pelota y me dijo: "¿Qué sabí voh, hueón"».

El doble cinco

Pellegrini explicaba que sus laterales tienen mucha libertad para proyectarse en ataque gracias a la presencia del llamado doble cinco, la dupla de volantes centrales que el técnico ha utilizado en todos sus equipos.

Las características de los jugadores del Ingeniero en ese rol han ido evolucionando con el tiempo, tal como ha ocurrido con el fútbol en general: «El fútbol antes era mucho más estático. Eso favorecía a los jugadores que sabían mucho con la pelota, porque tenían tiempo para demostrarlo; había tiempo para enfrentar al rival, encararlo y pasarlo».

«Hoy lo que prima es la movilidad», dice Pellegrini. «Un futbolista sin movilidad no puede jugar en un medio competitivo. La técnica, que es importante, no es solo la de la habilidad, sino la que genera una capacidad de jugar a un toque rápido, teniendo claro qué se va a hacer antes de que la pelota llegue a los pies».

Esas características que enumera Pellegrini aparecen como una obligación para sus volantes centrales, quienes deben ser la primera salida limpia del equipo, con la misión de dar equilibrio defensivo, acompañar en las labores ofensivas y combinar la capacidad de recuperación de la pelota con la de generación de fútbol. Son piezas fundamentales en la propuesta futbolística del técnico.

En sus primeros años en el fútbol chileno, esos mediocampistas tenían características más bien defensivas en comparación a quienes han ocupado esa posición en sus equipos europeos.

En Universidad Católica, Nelson Parraguez y Mario Lepe fueron la dupla más recurrente, con el capitán (Lepe) como eje del balance táctico en el mediocampo. «Sabía que yo era un jugador táctico», explica Lepe. «Me pedía que ordenara al «Piri» (Parraguez), quien tenía más libertad para apoyar arriba. El equilibrio defensivo era nuestra primera misión. Nos decía que los equipos deben armarse de atrás para adelante, porque no sacas nada con tener un buen volumen arriba si no eres sólido atrás».

Según Parraguez, que jugó por Chile en la Copa del Mundo de Francia 1998, con Pellegrini aprendió la importancia de su rol dentro del equipo, sin importar el esquema que se utilizara: «Para él, mi posición era fundamental en el funcionamiento global, porque dependiendo de nuestro ordenamiento táctico íbamos a tener o no la capacidad de sostener el dominio del juego. Nos inculcó la mecánica de ubicarnos como centrales cuando nuestros zagueros salían a las bandas. Estamos hablando del año 1994, una época en la que esos conceptos no estaban instalados como ahora. Esas ideas, Manuel ya las manejaba a la perfección».

En Argentina, un país donde se acostumbraba a jugar con un solo futbolista en ese sector de la cancha, Pellegrini llegó con su dibujo del doble cinco, pero con una variante en relación a lo que había mostrado en Católica y en sus anteriores equipos: la dupla comenzó a combinar a un futbolista con características defensivas con otro más técnico como volante mixto.

Esa idea la instaló en San Lorenzo de Almagro, club en el que Pablo Michelini y Walter Erviti fueron los titulares más recurrentes en el equipo que conquistó el Torneo de Clausura 2001 (con récord histórico de puntos y partidos ganados) y la Copa Mercosur ese mismo año (primer título internacional en la historia del club). Michelini recuerda que el DT era detallista en las instrucciones para quienes se alinearan en el centro de la cancha: «Pellegrini era muy específico con nosotros. En la revisión de los videos de los partidos marcaba mucho las jugadas y la ubicación del doble cinco. Para él era fundamental el rol que cumplíamos junto a Walter. Yo era un poco más de marca y él tenía más salida y llegada al arco rival, ya que tenía características muy ofensivas».

A Erviti en Argentina lo apodaban «Cañito» por su costumbre de eludir con túneles (pasar la pelota por entremedio de las dos piernas del rival) a los jugadores que enfrentaba. Esa característica coincidía con las cualidades que lo hicieron jugar siempre de conductor o creador cerca del área rival. El DT chileno fue el primero en ubicarlo como mediocampista centralizado mixto, una posición de la que Erviti nunca más se movió.

El que tampoco cambió fue el propio entrenador en su opción de transformar la función del doble cinco en una combinación de recuperación con talento.

El «experimento» con Erviti lo repitió en Villarreal con Marcos Senna y Alessio Tacchinardi (también jugaron Josico, Robert Pirès y Cani, dependiendo de la época). En el Real Madrid fueron Xabi Alonso y Lassana «Lass» Diarra los que más se repitieron en la titularidad. En el Málaga la función la cumplieron preferentemente Jérémy Toulalan con Duda (el chileno Manuel Iturra también alternó). En la actualidad del Manchester City, los elegidos son dos jugadores que en sus anteriores clubes siempre cumplieron funciones más ofensivas: el brasileño Fernandinho y Yaya Touré.

Para Pellegrini esa dupla refleja la evolución que ha tenido la función: «En el City se da un buen ejemplo. Fernandinho y Yaya Touré cumplen esa tarea cuando nunca habían jugado de volante central, nunca. Ellos son jugadores más de incorporación en el juego de ataque, de acompañar arriba. Pero en el City, gracias a su gran capacidad técnica [otra vez], han ocupado satisfactoriamente posiciones inéditas para ellos, dándole equilibrio al equipo».

—Un cambio total en comparación al tipo de jugador que se ubicaba ahí hace diez o quince años…

—Ha cambiado mucho. Si quieres tener un equipo que juegue bien, la capacidad para generar juego y espacios debe partir de ese volante central, situación que solo se consigue con jugadores que combinen la capacidad de recuperación con buen pie.

—¿Sergio Busquets del Barcelona, por ejemplo?

—Así es. Busquets no es un volante central de grandes recorridos y capacidad de marca, pero siempre está bien ubicado y juega a un toque, rápido, gracias a sus atributos técnicos. Luka Modric (croata del Real Madrid) es otro volante que combina un enorme despliegue con una técnica que marca diferencia.

—¿Quién ha sido el mejor mediocampista central que ha dirigido?

—Uf, hay muchos. Xabi Alonso tiene una pegada extraordinaria. Robert Pirès era un espectáculo jugando como volante mixto. Pero el más completo fue Marcos Senna. A él lo tuve en un momento individual extraordinario en el Villarreal. Hacía bien lo que le pidieras. Si había que ser más defensivo cumplía, si le pedía ser más ofensivo marcaba diferencias arriba.

Hoy Marcos Senna tiene treinta y nueve años y gasta sus últimos cartuchos como futbolista en el mítico Cosmos, cuadro de la Segunda División de Estados Unidos en Nueva York. Al enterarse de los elogios de su ex DT, Senna rememora la etapa en que compartió con el chileno en España: «Es una gran alegría que Pellegrini tenga ese recuerdo mío. Yo también tengo los mejores. Él cambió totalmente la forma de jugar histórica del Villarreal. Lo hizo jugar como un equipo grande. A mí me pedía que fuera a buscar siempre el balón, que lo distribuyera con criterio y tuviera la capacidad de recuperarlo también. Ponía mucha atención en mi rol en la cancha.

»Cuando llegó a dirigirnos (2004) era un desconocido en Europa. No teníamos idea de cómo iba a resultar, porque es muy difícil que un técnico recién llegado de Sudamérica tenga rápidamente éxito. Pero triunfó gracias a su seriedad. Fueron años (2004-2009) espectaculares.»

José María Aguilar fue presidente de River Plate entre 2001 y 2009, año en que finalizó su gestión en medio de una ácida polémica que incluyó acusaciones por supuestas irregularidades en el manejo de dineros.

Instalado en su estudio del céntrico barrio Recoleta en Buenos Aires, el abogado vuelve a recibir a un periodista después de seis años de silencio mediático. Afirma que su aprecio por Pellegrini «bien vale una entrevista». Recuerda el título de Clausura 2003, la final de la Copa Sudamericana del mismo año y entra en el análisis de la resistencia que generó el famoso doble cinco en parte de la prensa y de la hinchada riverplatense: «Traerlo como técnico del club fue una apuesta absoluta. Sabíamos de su capacidad por lo que había hecho en San Lorenzo, especialmente, pero no es fácil llegar a River cuando eres un entrenador que no está identificado con el club, menos reemplazando a Ramón Díaz, un ídolo absoluto de la hinchada».

«Con lo del doble cinco hubo mucha ignorancia del medio», comenta Aguilar. «Fue un pretexto para criticarlo desde aquella prensa que jamás le perdonó su bajo perfil mediático y no estar identificado con River. Decían que era defensivo y que traicionaba la tradición de un solo volante central. Todas incongruencias si uno ve la permanente vocación de ataque que tienen todos los equipos de Pellegrini. Es cosa de apreciar la carrera que ha hecho en Europa. Parece que yo no estaba tan equivocado con él. Ni hablar con lo de los dos mediocampistas centrales: hoy casi todos los equipos del mundo juegan así.»

En sus dieciocho meses a cargo de River, Pellegrini optó preferentemente por Claudio el «Turco» Husaín y Luis González como titulares más habituales en aquel sector del campo de juego. También alternaron Víctor Zapata y una joven promesa que debutó con el Ingeniero y que con el tiempo se transformó en uno de los mejores mediocampistas del mundo: Javier Mascherano.

Hoy el «Jefecito», titular inamovible del Barcelona y la selección argentina, recuerda sus comienzos con el DT chileno en River: «Obviamente tengo un muy buen recuerdo de mi tiempo con Pellegrini porque fue el entrenador que me puso en Primera División, me hizo debutar. Él es un entrenador muy respetuoso, que ha llegado muy alto, a la élite del fútbol mundial. Y todo eso lo ha conseguido con el buen juego de sus equipos; siempre intenta jugar bien y eso no se ve muy a menudo en otros técnicos».

Con la irrupción de Mascherano y la consolidación de las duplas Husaín-González o Husaín-Zapata, paulatinamente se fue relegando a la suplencia a Leonardo Astrada, veterano ídolo del club que años más tarde lograría ser campeón como entrenador del Millonario (apodo con que se conoce en Argentina al club riverplatense). Ese tipo de decisiones técnicas significaron dardos en contra del entrenador, quien mantuvo firme su postura según Husaín: «Lo criticaron, pero él jamás tuvo dudas con su disposición táctica. Lo que sí tenía era la capacidad de adaptarse a las características de los jugadores que había en el plantel; era inteligente, le entregaba toda la confianza al jugador e intentaba aprovechar al máximo las capacidades del plantel que teníamos. Pero nunca lo vi dudar sobre lo que él creía».

Los conceptos del Turco vienen a ratificar la postura de Pellegrini al momento de perseverar con su idea táctica, a pesar de las críticas. Cuestionamientos que el mismo medio periodístico argentino hoy relativiza.

Diego Latorre, ex seleccionado argentino, con una dilatada trayectoria en el fútbol internacional, es en la actualidad uno de los comentaristas televisivos más reconocidos en Sudamérica gracias a su trabajo en la cadena continental Fox Sports. Dueño de un estilo analítico y objetivo, Latorre no comulga con el trato que recibió la propuesta táctica del Ingeniero en su paso por River Plate: «Es verdad que en Argentina siempre hubo un prejuicio basado en que añadir un jugador en el medio significaba privilegiar la faceta defensiva. Pero Pellegrini fue capaz de ir destruyendo aquel mito y hoy, muchos años después, vemos con mucha naturalidad cómo el doble cinco se utiliza en muchos equipos, porque permite a los volantes creativos tener mayor libertad de movimiento, posibilitando que vayan hacia fuera también, por las bandas, quitándole las referencias al rival. Para mí es un gusto observar a sus equipos. Es uno de los tantos entrenadores con los que me identifico porque apuesta por el fútbol en el campo rival. Esa forma de jugar hace que el espectáculo sea mucho más atractivo».

Elogios y reconocimientos que podrían tomarse como una revancha para el entrenador del City, pero Pellegrini no lo ve así.

—No, la verdad es que me da lo mismo, no es una revancha para mí.

—No le creo. A usted lo criticaron mucho por el doble cinco y ahora todos lo usan. Algo de «revancha táctica» debe sentir…

—Para nada. Es verdad que generó mucho comentario en Argentina. Principalmente porque allá se cree que al jugar con un solo volante central, armando una especie de diamante en el medio, tu equipo va a ser más ofensivo. Pero yo sentía, tenía el convencimiento en realidad y lo mantengo hasta hoy, que con dos hombres en el medio campo, dividiéndose el ancho de la cancha, tengo mucha más posibilidad de posesión de pelota.

—A propósito de la posesión, ¿está sobrevalorada?

—Hay momentos en que sí. Lo que pasa es que la posesión del balón es muy importante, pero con ella solamente no vas a ganar. Hay que lograr aprovechar ese control de la pelota con toques de primera, rápidos, que generen desequilibrio. Obviamente eso implica arriesgar el balón, y de diez intentos vas a perder en cinco o seis, pero en los otros, cuando logres acertar, vas a generar real peligro.

—Sus equipos tienen mucho el balón…

—Es que la posesión es muy importante por un aspecto físico también: cuando tu equipo ha tenido una posesión larga de la pelota y la pierdes, el rival la recuperará cansado tras haber corrido detrás de ella, disminuyendo de inmediato los niveles de peligrosidad al comenzar su ataque. Al revés lo mismo: cuando la pierdes, entre antes la recuperes menor es tu desgaste y mayor tu aire para iniciar una jugada ofensiva. Esa es la importancia de la posesión del balón.

El cuadrado

Cuando en el primer semestre de 2004 Manuel Pellegrini desembarcó en España para dirigir el Villarreal en su primera experiencia europea, los equipos que se repartían el dominio de la Liga eran el Real Madrid de Vicente del Bosque y el Valencia de Rafael Benítez.

Los merengues fueron campeones las temporadas 2000-2001 y 2002-2003, mientras el cuadro «che» se quedó con los títulos del 2001-2002 y 2003-2004. Fueron años en los que el Barcelona aún no consolidaba su dominio del fútbol español con su «tiquitaca», estilo caracterizado por la elaboración de peligro a base de la posesión de la pelota y la búsqueda de espacios con pases cortos, rápidos y precisos.

A su arribo al Villarreal, el Ingeniero se interiorizó de las claves futbolísticas del medio, percatándose del protagonismo que tenían los extremos en la mayoría de los equipos. Una función que era asignada a mediocampistas abiertos o atacantes que cumplían funciones fijas.

«Nos dimos cuenta de que en la mayoría de los equipos había una carencia de capacidad técnica en el medio campo», explica Pellegrini. «Ocurría que al ubicar laterales-volantes o atacantes de manera fija por las bandas, esas funciones recaían, generalmente, en futbolistas muy rápidos y con mucha potencia, pero con poca capacidad técnica. Esa fórmula, a mi juicio, limitaba las posibilidades y se transformaba en predecible porque era fácil

91

tomarle la mano y disminuir su potencial ofensivo. Al final, todo dependía del uno contra uno. El éxito o fracaso de un ataque se definía con una moneda al aire: pasa o no el delantero.

»Al ver eso, instauramos en Villarreal el dibujo que habíamos implementado en San Lorenzo y River Plate con cuatro volantes de buena técnica, gran movilidad, libertad para generar espacios y capacidad ofensiva. Todo basado en la capacidad técnica de esos mediocampistas. Para mí esa fórmula da más tiempo y le otorga mayores posibilidades a tu equipo para ser ofensivo y efectivo en la generación de peligro.»

El francés Robert Pirès firmó por el Villarreal a los treinta y cuatro años de edad en 2009. Campeón del mundo con Francia en 1998 y figura consular del Arsenal de Inglaterra, el talentoso volante fue protagonista del dibujo táctico de Pellegrini durante las tres temporadas en que alcanzó a ser dirigido por el chileno: «Cuando llegué a España venía de trabajar con Arsène Wenger en el Arsenal. Pellegrini tiene un estilo muy similar, por lo que sabía que se trataba de un muy buen entrenador y que disfrutaba del buen fútbol. A mí me dio total libertad para moverme en la cancha. Me decía que disfrutara, que me divirtiera, que aprovechara mi experiencia para ayudar a los más chavales del equipo. La verdad es que me sentí muy cómodo con el sistema que armó para nosotros en el medio campo junto a Román [Juan Román Riquelme], Marcos [Senna] y los que estuvimos en el club en esa época».

Ese sistema constituyó uno de los conceptos más representativos de la propuesta futbolística de Pellegrini en las cinco temporadas que se mantuvo en la banca del apodado «Submarino Amarillo»: el cuadrado con volantes sueltos sin extremos fijos en el medio campo.

Un dibujo que en ese momento se transformó en una novedad para el medio español y que en junio de 2015, según el titular de una entrevista en el diario *El Mercurio*, motivaba al DT a afirmar que «cambié la manera de jugar en España […] y eso fue adquirido después por la selección española».

La frase no pasó desapercibida, fue reproducida en varios medios europeos y generó algo de polémica, aunque el entrenador la relativiza al momento de profundizar en ella: «Obviamente no creo haber cambiado la forma de jugar en España. Lo que dije es que el Villarreal jugaba totalmente distinto a lo que se veía en la Liga y que la selección [española] se había basado un poco en lo que hacía el Villarreal, en el que cambiamos el concepto de los volantes en posiciones fijas y nos fue bien. La selección también lo asimiló gracias a las características de los jugadores que aparecieron. Eso fue lo que dije. Jamás he pensado que me copiaron un sistema o algo por el estilo».

—Pero justo en esos años Luis Aragonés, técnico de la selección española, empezó a utilizar el mismo modelo. ¿Fue solo coincidencia?

—Lo que creo es que Aragonés vio, entre muchas otras propuestas, lo que nosotros estábamos haciendo y lo implementó dentro de su idea. Eso es muy distinto a decir que «me copiaron».

»Esa selección de Luis [Aragonés] salió campeona de Europa [Eurocopa Austria-Suiza 2008] y luego del mundo con Del Bosque [Mundial de Sudáfrica 2010]. Ambos logros con casi el mismo plantel y la misma propuesta futbolística. Todo eso se logró gracias a la extraordinaria generación de jugadores que tenía y el gran trabajo de sus técnicos, no porque jugara con un cuadrado de cuatro volantes.»

—Ese modelo de dominio a través de la posesión del balón se consolidó con la selección de España y con el Barcelona. ¿Qué es lo que va definiendo tendencias en la utilización de una u otra forma de jugar?

—Va mutando según los éxitos de determinados técnicos que utilicen determinadas propuestas de juego. En la medida que algún entrenador gana, el fútbol tiende a irse para allá. Es como una moda, en el fondo. Después, si empieza a dar resultado otra propuesta, uno ve que el medio apunta a esa nueva propuesta como la fórmula correcta.

En mi caso he preferido mantenerme firme en mi forma de sentir el juego, intentando defender mis convicciones a la hora de elegir qué es lo mejor, con dos objetivos permanentes: ganar y gustar.

—¿Ve algo que esté pendiente tácticamente? ¿Queda algo por inventar en el fútbol?

—Todo está en los jugadores. A medida que vayan apareciendo futbolistas con distintas características y talentos, se irán abriendo también diferentes posibilidades tácticas, porque en el talento individual se basa la táctica colectiva. Por ejemplo: las pasadas por las espaldas de los laterales. Eso comenzó con la selección brasileña ya en los sesenta y setenta, pero se patentó como una variante táctica en España 1982, cuando los laterales Leandro y Junior le pasaban por las espaldas a los volantes Toninho Cerezo y Falcao. Esa jugada surgió gracias a las capacidades técnicas y físicas de Leandro y Junior para proyectarse, y el talento de Cerezo y Falcao al momento de hacer la pausa justa para la habilitación del lateral. Después todos imitaron esa variante y trabajaron para transformarla en una jugada indispensable del juego ofensivo.

»Es así como siempre van a ir apareciendo cosas nuevas a partir de los jugadores. Y cuando eso ocurre, debe aparecer también la capacidad del técnico para darse cuenta y trasformar esas nuevas posibilidades en variantes tácticas novedosas.»

CAPÍTULO 4

Fuera de juego

FUNCIONA

Durante su trayectoria, Manuel Pellegrini ha demostrado pragmatismo y frialdad para tomar decisiones en los más diversas escenarios. Ya sea al momento de asimilar la derrota o cuando toca disfrutar del triunfo, el chileno siempre se ve tranquilo, como si todo estuviera bajo su control. El DT suele aferrarse a la racionalidad para elegir el camino y a la argumentación lógica para justificar las decisiones.

«A Pellegrini lo recuerdo con la imagen de un ingeniero. Así era él: como un ingeniero para todo», contesta el francés Robert Pirès cuando se le pide una definición sobre su ex entrenador en Villarreal.

La inmensa mayoría de quienes han compartido en algún momento con el chileno, asegura que al DT le fluye constantemente su veta matemática y lógica. Sin embargo, ha sido el mismo entrenador quien ha reconocido que su verdadera pasión es el fútbol, una actividad inexacta y permanentemente expuesta al azar.

En el mundo del deporte se dice que todo suma a la hora de confiar en instancias que poco y nada tienen que ver con la racionalidad. Algunos se encomiendan a su religión al momento de solicitar ayuda, otros confían en algún tipo de amuleto para sentirse más seguros y la gran mayoría, de manera pública o privada, se deja involucrar en una de las tradiciones más arraigadas en el medio futbolístico: las cábalas.

Pellegrini no es la excepción, porque a pesar de su perfil serio, frío y pragmático, toda una vida compartiendo camarín como jugador o técnico termina por marcar a cualquiera, incluso al más racional.

«Muy ingeniero será, pero en el fútbol las cábalas son intransables», asegura riéndose Jorge Valdano en Madrid. El ex director general del Real compartió toda la interna de Pellegrini cuando estuvo a cargo del cuadro merengue, por lo que pudo conocer de cerca las supersticiones del chileno: «Teníamos una especie de ritual gastronómico con él. Cada vez que el equipo ganaba, nos juntábamos a cenar en el restaurante Ox's acá cerca del Bernabéu, en el barrio de Chamartín. Y si las cosas andaban bien, él se repetía siempre el mismo plato: lubina salvaje».

Bastante pescado debió comer esa temporada Pellegrini después del récord de dieciocho partidos ganados por su equipo en casa. Pero la costumbre de repetirse platos y restaurantes es una de las más comunes entre los técnicos, por lo que no constituye una novedad y tampoco sirve para argumentar que el Ingeniero asume comportamientos ajenos a su perfil racional. Aunque basta con investigar entre sus más cercanos para conocer el insólito mundo privado de las cábalas del entrenador.

La Cantina de David fue desde principios del siglo pasado uno de los restaurantes de pastas más frecuentado por el ambiente futbolero de Buenos Aires. En ese local del barrio Chacarita se fundó, en mayo de 1909, el mítico club Chacarita Juniors.

Noventa y cuatro años después, cuando Pellegrini se tituló campeón del Torneo de Clausura argentino al mando de River Plate en 2003, Antonio La Regina, dirigente del club millonario, proseguía con la tradición familiar como propietario del local de pastas recibiendo a diversas personalidades del mundo futbolístico, entre ellas el técnico chileno.

Con su metro y cincuenta y ocho centímetros de altura, trato afable y gran hospitalidad, La Regina compartía frecuentemente con el Ingeniero, quien disfrutaba de las pastas caseras de La Cantina a medida que iba consolidando una estrecha amistad con el empresario gastronómico: «Es un ser humano extraordinario. Lo había saludado un par de veces en mi restaurante cuando pasó por Buenos Aires como técnico de la Liga de Quito en 1999, y en otras oportunidades que llegó a cenar estando en San Lorenzo. Pero nunca pasamos del saludo protocolar. Él se veía muy serio, educado, no era fácil romper el hielo».

En el segundo semestre de 2002, el DT recién había firmado en River Plate, y La Regina lo acompañó durante diez días de pretemporada del club en Miami: «Ahí pudimos conocernos mejor y fuimos entablando una amistad que perdura hasta hoy. Estaba solo en Buenos Aires; su mujer y sus hijos viajaban solo de vez en cuando desde Santiago, por lo que iba bastante a La Cantina».

Todo normal entre dos cercanos que tenían en común su relación con River Plate como técnico y dirigente. Hasta que a principios del Clausura 2003 ocurrió un problema con la alimentación del plantel millonario. Un inconveniente que significaría la entrada definitiva de don Antonio al secreto mundo de las cábalas de Pellegrini: «Ese campeonato no lo habíamos empezado bien. Empatamos con Newell's Old Boys y perdimos con Vélez Sarfield en las dos primeras fechas. Justo antes de viajar a Santa Fe para enfrentar a Colón en la tercera jornada, estábamos tomándonos un café y le avisan que había un par de jugadores intoxicados debido a un problema con la comida. Él se puso mal de inmediato y me preguntó si yo le podía llevar alguna pasta de mi restaurante al equipo. Naturalmente lo hice sin problemas: mandé a hacer unos ravioles y todo se solucionó».

Con el nuevo «proveedor alimenticio», River Plate consiguió su primer triunfo del campeonato y la orden de Pellegrini fue inmediata: seguimos con los ravioles de La Cantina antes de cada partido. La Regina tuvo que encargarse de manera oficial de las pastas para todo el plantel, y el equipo entró en una racha de ocho victorias consecutivas, manteniéndose invicto hasta la última fecha del torneo que terminaría ganando.

Entusiasmado con su relato en un café de la zona de Palermo Soho de la capital argentina, el ex dirigente cuenta que el DT se tomó muy en serio la cábala: «Desde que ganamos en Santa Fe, Manuel me preguntaba todas las semanas si estaba todo bien con los ravioles. No había manera de cambiar el menú o de volver al antiguo proveedor. Yo feliz con la cábala, pero solo me significaba trabajo porque preferí no cobrar por los benditos ravioles, ya que era dirigente del club».

Don Antonio explica que cuando el equipo jugaba en Buenos Aires el traslado de las pastas no revestía ninguna dificultad, el problema surgía al momento de los viajes al extranjero: «Viajar por avión era una locura. Yo le explicaba a Manuel que por leyes sanitarias no podíamos volar al extranjero con los ravioles, pero él me decía que ese era mi problema y que llegara con la pasta adonde fuera necesario. Ahí tuvimos que idear un sistema de contrabando con los utileros del equipo: metíamos las cajas de ravioles entre medio de las camisetas, el equipaje, el equipamiento deportivo, etcétera. Era todo un tema. Afortunadamente en las bodegas de los aviones siempre hace mucho frío por la altura, así que las pastas se mantenían frescas y no se echaban a perder. Al menos nunca se enfermó ningún jugador».

La cábala de La Regina se transformó en un hábito, al igual que el ritmo ganador del equipo, que llegó a la penúltima fecha del campeonato con la opción de titularse campeón por adelantado. El rival era Olimpo y el duelo se jugaba en Bahía Blanca, ciudad ubicada a setecientos kilómetros al sur de Buenos Aires: «Teníamos todo listo para viajar el día antes del partido. Nos fuimos al aeropuerto con el equipo —y los ravioles, obviamente—, pero hubo un problema con la neblina y el avión no pudo despegar a la hora prevista. Manuel me advirtió que no nos arriesgáramos con la pasta, así que tuve que correr a conseguirme un camión refrigerado para mandar vía terrestre la comida».

Tras diez horas de viaje, los ravioles de don Antonio llegaron justo para el almuerzo del plantel. Aquella noche del domingo 29 de junio River Plate derrotó por 2-0 a Olimpo con goles de Víctor Zapata y Diego Barrado, titulándose campeón del fútbol argentino.

Tras la irregularidad que mostró el equipo en su segundo año al mando del Manchester City en la temporada 2014/15 (vicecampeón en la Premier League, eliminado por el campeón Barcelona en octavos de final de la Champions y sin títulos en ninguna de las copas inglesas), Manuel Pellegrini decidió remecer a su plantel en el inicio de la estación 2015/16.

Con el apoyo de los referentes del camarín, el capitán Vincent Kompany y el vicecapitán Yaya Touré, los Cityzens iniciaron la pretemporada con una gira por Australia juramentándose que en el nuevo curso retomarían la competitividad que les había faltado en la temporada anterior.

Hoy es el propio técnico quien hace la autocrítica de su responsabilidad en la no consecución de los objetivos en su segundo año en Manchester: «Fallé en la capacidad de mantener al grupo con el mismo espíritu competitivo. Después de obtener dos títulos en nuestro primer año, al siguiente no fuimos capaces de darle continuidad a esa hambre de triunfo, la que es fundamental para obtener los resultados. Ahí hay claramente una responsabilidad que me recae como líder del grupo».

Yaya Touré tampoco quedó conforme con su rendimiento personal ni con el colectivo: «Hablamos todos y le prometimos al míster que este año volveríamos a nuestro nivel. Por él, por nosotros y por nuestros aficionados tenemos que retomar el ritmo y ganar cosas importantes esta temporada. Yo sigo en este club por Manuel. Él siempre habla conmigo, me aconseja, se preocupa de lo que me pasa fuera de la cancha. Ha sido como un padre en momentos difíciles (en junio de 2014 falleció Ibrahim, hermano menor del volante) y eso no lo había tenido con ningún otro técnico. Esta temporada no le podemos fallar, tenemos que ir por todo».

Las cosas empezaron muy bien para el City en el ciclo 2015-2016: en el debut cumplió una gran actuación derrotando por 3-0 al West Bromwich Albion en calidad de visitante.

El auspicioso inicio sirvió para llegar con confianza a la segunda fecha, en la que los Ciudadanos recibían al siempre complicado Chelsea de José Mourinho, el campeón vigente de la Premier.

Fue una semana alegre por el triunfal inicio y de concentración por los quilates del siguiente rival. Días en los que Pellegrini no solo trabajó con la planificación de siempre, sino que sumó a su habitual método el respeto por otra de sus cábalas: la repetición de rutinas que dieron resultado.

En su enorme despacho con vista al campo de entrenamiento de la Ciudad Deportiva, Txiki Begiristain reconoce la manía de su entrenador al momento de las supersticiones: «Es terrible con ese tema. Siempre repite las rutinas que en anteriores partidos nos dieron resultado. Lo hace muy discretamente, jamás te dice que va a hacer tal cosa porque le trajo suerte, simplemente lo hace y uno se da cuenta. Esta semana, por ejemplo [previa a la segunda fecha de la temporada], me pidió repetir el entrenamiento en el estadio, tal como lo hicimos antes de enfrentar al West Bromwich. Está claro por qué lo hizo: quería mantener intacto lo que resultó de cara al partido contra el Chelsea».

Para Pablo Zabaleta es un hecho de la causa que su DT es un tipo muy supersticioso: «Pellegrini es bastante cabalero. En realidad todos los técnicos lo son y entre más grandes [mayores] más supersticiosos se colocan. No habla esos temas en el camarín, pero uno se da cuenta de que cuando ganamos repite los trabajos de la semana anterior. Lo mismo con los hoteles: si nos fue bien en una visita, a la temporada siguiente él pide el mismo hotel».

Begiristain se ríe cuando habla de las cábalas de Pellegrini, más aún cuando cuenta qué le dice el chileno al afrontar el tema: «Son datos, no cábalas, me explica. Cuando entramos a entrenar en el estadio antes del Chelsea, me acerqué y le bromeé diciéndole que no necesitaba preguntarle por qué estábamos practicando ahí. Él, serio, me respondió que son simplemente datos y no supersticiones, es decir, hasta en esos temas irracionales trata de argumentar con algo racional. Ni él se lo cree…»

Al otro lado del mundo, en Buenos Aires, Antonio La Regina no para de gozar con el relato de las cábalas de su amigo técnico. Cábalas en las que él fue, y sigue siendo, protagonista más allá de los ravioles: «Desde que se fue a dirigir a Europa tengo que llamarlo antes de los partidos, siempre. Cuando no lo hago me llama él, haciéndose el molesto, y me dice: "Usted es un hijo de p… ¿Por qué no me ha llamado? ¿Quiere que pierda el partido?". Hasta el día de hoy lo llamo antes que juegue el City».

La costumbre de La Regina se originó durante la etapa del chileno en River Plate. En esa época, en medio de ravioles y charlas futboleras, el pequeño dirigente acostumbraba a cenar con el plantel en la previa de cada partido. Así lo cuenta: «En esas cenas tenía prohibido que alguien hablara por teléfono. Había que mantener los móviles en silencio. Al que le sonaba… ¡Pum!, multa. Eran multas pequeñas, de diez o quince dólares, pero de la multa y de la cara de molestia nadie se salvaba. Una noche estábamos cenando y sonó mi móvil. Se me había olvidado apagarlo. Yo me quería morir de la vergüenza; todos los jugadores jodiéndome y Manuel me dice que responda nomás, que total igual iba a tener que pagar la multa, así que no perdiera la llamada. Cuando colgué me preguntó quién era y le conté que mi hermano. No me dijo nada más y después pagué mi multa, que iba para un fondo común de asados del plantel.

»A la semana siguiente volvimos a cenar antes de un partido y me dice: "Dígale a su hermano que lo llame cuando estemos comiendo". "Pero ¿cómo?", le pregunto, y como si nada me dice que la semana pasada ganamos, así que hay que repetir el llamado, el sonido del móvil, la conversación con mi hermano y la multa. Desde ese día, sagradamente, mi hermano tuvo que llamarme a la hora de la cena y yo pagar la multa. Cuando se le olvidaba, lo tenía que telefonear yo para recordarle que me tenía que llamar él.»

A Pellegrini le brillan los ojos cuando le cuento del encuentro con Antonio La Regina. Se ve que estima al ex dirigente especialista en pastas. Pero ni se inmuta al escuchar las historias de sus cábalas:

—Tan racional que es usted. Me sorprendió enterarme de que era cabalero…

—Yo no soy cabalero, para nada.

—¿Cómo que no? ¿Y lo que cuentan quienes lo conocen?

—No son cábalas. Simplemente pienso: para qué cambiar lo que funciona…

Dinero

Todo técnico de nivel internacional que trabaje en alguna de las principales ligas del mundo tendrá acceso a una remuneración importante. Ese contrato aumentará superlativamente si es que la banca que dirige es de un equipo de renombre, y los millones se multiplicarán en caso de obtener buenos resultados.

Aquellas tres variables Manuel Pellegrini las ha cumplido durante toda su carrera en el exterior: dirigió en Argentina, España e Inglaterra tres de los torneos más competitivos del planeta fútbol. Lideró procesos en equipos grandes como Universidad Católica, Liga de Quito, River Plate, Real Madrid y Manchester City, y consiguió títulos con la LDU, los Cuervos, los Millonarios y los Cityzens, cuajando sobresalientes campañas en España con el Villarreal y el Málaga.

Más de veinte años de éxitos que le han permitido al Ingeniero poblar de ceros su tabla Excel de ingresos y convertirse, sobre todo tras su paso por el Real Madrid y su presente en Manchester, en uno de los técnicos mejor remunerados del mundo.

Pellegrini no habla en público de dinero. Jamás ha confirmado o desmentido las cifras que rodean la firma de sus contratos. Según la prensa internacional, solamente en su paso de once meses por el estadio Santiago Bernabéu cobró más de diez millones de dólares entre contrato e indemnización (fue cesado de su cargo cuando aún le restaba un año de vínculo). Mientras que en Inglaterra, a la cabeza de uno de los proyectos deportivos más ambiciosos del mundo, los medios ingleses aseguran que el chileno no recibe menos de ocho millones de dólares por temporada, ubicándose entre los diez entrenadores mejor pagados en la actualidad.

Hoy el fútbol es uno de los espectáculos más rentables de la industria internacional. La pelota genera miles de millones de dólares a través del mundo. Las estrellas cobran salarios que no tienen parangón con lo que se obtiene en otros oficios, y la actividad en general, gracias a la publicidad y los derechos televisivos, se ha convertido en una mina de oro.

Hace algunos años Marcelo Bielsa, el polémico y destacado técnico argentino, afirmó que las platas que movía el fútbol eran «ofensivas para la gente». Esa declaración la realizó mientras era entrenador de la selección chilena, con un sueldo anual que bordeaba los tres millones de dólares por temporada.

Pellegrini ha repetido varias veces que el dinero no es relevante en su vida, pero no asume una postura crítica sobre los montos que rodean a la actividad: «Jamás he sentido culpa por ganar lo que gano. Tú vales lo que la gente esté dispuesta a pagar por ti. Si te están pagando un sueldo alto es porque lo vales. Con lo que no estoy de acuerdo, eso sí, es con dejar botado un proyecto solo porque en otro lado te paguen más. Siempre es bueno ganar bien, en el sentido que a uno lo evalúan según lo que es capaz. Si te están pagando un sueldo alto es porque lo vales», declaró en una entrevista en 2013.

Jesús Martínez es quien negocia los contratos del técnico. Nacido en Argentina, pero radicado en España hace veinte años, el hoy representante y ex director deportivo del Valencia conoció fortuitamente a Pellegrini en Buenos Aires: «El año 2001 estaba cenando en el restaurante Tancat con Alberto Poletti (ex arquero de Estudiantes de La Plata y representante de jugadores y técnicos en Argentina). Dirigía a San Lorenzo en ese momento y me lo presentó Poletti a la pasada porque Pellegrini iba a sentarse en otra mesa con Fernando Miele, presidente de San Lorenzo».

Esa noche Poletti le contó a Martínez que le había llevado al DT una suculenta oferta del fútbol mexicano que el chileno rechazó. Su plan era saltar desde el fútbol argentino al español, como explica el DT: «Tuve ofertas de México. Eran buenísimas en lo económico, pero casi no hay entrenadores que hayan podido dar el salto desde México a Europa y yo tenía claro que si me iba bien en Argentina la oportunidad me iba a llegar. Así surgió lo de Villarreal, que era mucho menos dinero, pero mi proyecto no iba por el lado de la plata».

La localidad de Villarreal se ubica a solo sesenta kilómetros de Valencia, ciudad donde vive Jesús Martínez. A principios de 2004, el agente supo que el Villarreal, un equipo chico pero con un proyecto serio a cargo del presidente José Manuel Llaneza, estaba buscando entrenador. El agente se acordó del nombre de Pellegrini y contactó a Poletti en Buenos Aires. Agendaron una reunión e invitaron al Ingeniero, recién desvinculado de River Plate, a viajar a España para conocer el proyecto.

Martínez relata que rápidamente se dio cuenta de que el DT iba a dejar en sus manos todas las negociaciones de plata: «A él ese tema no le interesa. Jamás me ha puesto condiciones o ha entorpecido una negociación por los montos involucrados. Él solo se preocupa del proyecto deportivo y nunca habla de dinero con los clubes. Tiene un desafecto total por lo económico».

Jorge Valdano, responsable de las negociaciones que cinco años más tarde, en mayo de 2009, llevaron a Pellegrini al Real

Madrid, confirma el relato de Martínez: «Nunca hablé de platas. Todos los dineros se negociaron con Jesús. A Manuel solo le interesaba acordar los aspectos deportivos. Claramente, él entendía la oportunidad profesional que significaba llegar al Madrid».

El entrenador ha reconocido que «siempre he tenido el estándar de vida que he querido, pero nunca he buscado tener una cantidad absurda de cosas. No me interesa andar mostrando un reloj que vale millones ni tener el auto más caro».

Desde niño Pellegrini disfrutó de tranquilidad económica gracias al buen pasar de su familia. Luego, al combinar su carrera de futbolista con la de ingeniero, gozó de una estabilidad monetaria que con su exitosa trayectoria como entrenador se consolidó a los máximos niveles. Por eso puede resultar muy fácil, cuando se tienen millones de dólares en la cuenta corriente, afirmar que el dinero no es tan importante y que no es necesario llenarse de cosas materiales.

Sin embargo, hay una historia que ocurrió muchos años antes, cuando Pellegrini cumplía una década como jugador en Universidad de Chile, que sirve para entender la relación del técnico con lo material, según su amigo Raimundo Achondo: «Es cero ostentoso. Nunca lo fue. Cuando jugábamos en la U lo molestábamos porque andaba en un cacharro impresentable para alguien que podía acceder al auto que quisiera. Era un Dodge blanco con varios años de antigüedad. Tenía mejor situación que cualquiera de nosotros, pero usaba el auto más viejo y feo. Se podía comprar el modelo y la marca que quisiera. Pero él, nada, siempre con el mismo vehículo que tenía como doscientos mil kilómetros de recorrido. Nosotros le preguntábamos por qué no lo cambiaba y él nos decía que estaba impecable y que no necesitaba cambiarlo. Según él, con los autos había que ser igual que con el rendimiento de los jugadores: si ha respondido, no hay por qué cambiarlo».

A mediados de 2001 Pellegrini y San Lorenzo celebraban la obtención del Torneo de Clausura, mientras Argentina sufría una crítica situación económica. El gobierno de Fernando De la Rúa estaba a pocos meses de decretar el «corralito», medida extrema del polémico ministro de Economía Domingo Cavallo, que limitaba la libre disposición de dinero en efectivo y las cuentas de ahorro y corrientes para la población.

La dirigencia aprovechó ese contexto y le entregó un suculento premio económico al técnico por el título. Pellegrini recibió el bono, pero decidió utilizar el dinero para premiar a sus jugadores por la gran campaña, así que aprovechó la coyuntura inmobiliaria de Buenos Aires, tiempo en que las propiedades se vendían a un cuarto de su valor original debido a la crisis, y compró un departamento que se sortearía en una rifa entre todo el plantel.

Lucas Pusineri, volante del San Lorenzo campeón 2001, fue parte de esa historia: «En el camarín estábamos locos con la rifa. Imagináte [sic], un departamento gratis en plena crisis económica. Lo mejor del cuento es que el ganador no fue ninguna de las figuras que tenían un pasar tranquilo. El papelito ganador fue el de Leandro Álvarez, un pibe que venía recién subiendo de las juveniles y que se quedó con el departamento para vivir. Espectacular».

La costumbre de los regalos para el plantel y los miembros del cuerpo técnico fue una constante en los equipos del chileno.

Durante el paso del DT por el Villareal entre 2004 y 2009, el lateral Javi Venta recuerda que estuvo a punto de ganarse una «joya», cuando el Ingeniero aprovechó Navidad para poner a disposición del camarín un automóvil marca Audi modelo TT cero kilómetro: «¡No me quiero ni acordar! Quedé a un papelito del auto. Las rifas eran siempre igual: al míster le gustaba que fuéramos sacando los papeles uno a uno hasta llegar al último que era el ganador. Al final se lo ganó Edmilson, que justo ese año se fue al Palmeiras. El míster sorteaba un auto todas las navidades y la calidad del modelo dependía de cómo estuviera andando la temporada. Entre mejor nuestro rendimiento, mejor el auto también. Pellegrini era muy generoso. Le daba regalos a todo el cuerpo técnico, masajistas, utileros, el personal del club, etcétera. Siempre llevaba algo que estuviera de moda. Hoy seguro regalaría un iPhone 6 o algo así».

En 1991, mientras cumplía una destacada campaña al mando de Palestino (el primer club que dirigió tras el descenso con Universidad de Chile en 1989), Pellegrini se embarcó en un nuevo «proyecto futbolístico»: junto a un grupo de amigos del Club de Polo San Cristóbal fundaron Troncal Lo Curro, equipo de futbolito que competía en la liga interna del exclusivo recinto.

«Ya en esos años Manuel era un tipo muy conocido por su carrera como jugador y sus inicios como entrenador», recuerda Juan Enrique Gatica, el «Negro», compañero en Troncal y amigo del técnico hasta el día de hoy.

Eran tiempo felices para el Ingeniero. Tras su traumático debut descendiendo con la U, la etapa en Palestino (1990 y 1991-1992) le permitió reinsertarse en el medio y demostrar su valía profesional, gracias al sobresaliente rendimiento del cuadro árabe.

En paralelo a sus primeros logros en la banca, el DT jugaba entusiastamente en la liga amateur del Club de Polo, según el Conejo Jimeno, otro fundador de Troncal: «Lo poníamos de volante y obviamente manejaba todo el equipo. Imagínate, era una cancha de futbolito pequeña con solo siete jugadores por lado, entonces él marcaba mucha diferencia como ex futbolista profesional».

Jimeno y Gatica no paran de hablar de su amigo en el comedor del Club de Polo, donde han jugado por años fútbol, tenis y golf con Pellegrini: «Para todo es competitivo y muy fuerte físicamente. No es un tenista talentoso, pero cuesta un mundo ganarle porque no para de correr y aprovecha que es grande para irse siempre a la red. En el golf es más irregular: pega muy largo desde el *tee* de salida, tiene mucha fuerza, pero al tiro siguiente no es raro que salga con una "papa" [nombre con que se conoce en el golf a un golpe fallido]».

Con Troncal Lo Curro, el Ingeniero armó un grupo de amistades que se han transformado en uno de sus pilares afectivos a la distancia. Según el Negro Gatica, cada vez que el DT pasa por Chile, se da un tiempo para reunirse con ellos. Además, varios han viajado a acompañarlo en los distintos países que ha dirigido y mantienen contacto permanente a través de un grupo de WhatsApp.

Miembro de ese grupo es también Jimeno, quien asegura que Pellegrini ha sido muy generoso con varios: «Sin que se lo pidamos, nos ha invitado con todo pagado a visitarlo. Él es así, le gusta compartir y jamás se hace problemas por la plata. No es tema».

El relato de los amigos del entrenador sirve para entrar nuevamente en la relación que ha mantenido Pellegrini con el dinero. Aseguran que dona importantes cantidades a iniciativas benéficas, pero que jamás ha querido hacerlo público para mantener su bajo perfil. En la lista se encuentra la corporación La Esperanza (para la rehabilitación de diversas adicciones) y el Hogar de Cristo.

Jimeno cuenta que el año 2004, el arquitecto Eugenio Joannon Rivera, uno de los mejores amigos del entrenador, se embarcó en un ambicioso proyecto para construir la iglesia de la localidad de Cachagua, uno de los balnearios más exclusivos de Chile y donde vacacionan algunas de las familias católicas más adineradas del país: «Para Eugenio [Joannon] se trataba de una obra muy compleja por los costos y el financiamiento. Pero como en Cachagua veranea gente de mucho dinero, se le ocurrió hacer una colecta para terminar la iglesia. En esa recolección de fondos acudió a Manuel, quien sabía que el proyecto era muy importante para su amigo. Cuentan que el técnico averiguó cuánta plata faltaba y financió el saldo. Eugenio lo niega públicamente y afirma que Pellegrini fue un donante más, pero a mí igual me da risa cuando veo a todos los cuicos ir a misa a esa iglesia: no tienen idea que se pudo terminar gracias a él. Como siempre, nunca se supo que él había puesto la plata».

Cuando se habla del Ingeniero en el Club de Polo San Cristóbal, muchos tienen alguna historia que contar. Se nota que hay aprecio por el técnico. Sienten como propios sus triunfos y el orgullo aflora desde los más conspicuos directores hasta los funcionarios y *caddies* del club.

En una de esas conversaciones surgió una historia que refleja la visión que tiene Pellegrini sobre el comportamiento ético en relación al dinero.

En uno de sus últimos viajes a Chile, el técnico disfrutaba de una jornada de golf sobre el gramado del Club de Polo junto a un grupo de amigos. En las caminatas entre cada bandera, jugadores y *caddies* se cruzaban mientras se dirigían a sus respectivos *greens* o *tee* de salida. En uno de esos traslados, un comensal le comentó a Pellegrini que había divisado a un conocido personaje del club que estaba atravesando severos líos legales, debido a un escándalo económico que tuvo ribetes nacionales en Chile. «Pobre tipo, lo debe estar pasando muy mal», fue el comentario que demostraba que empatizaba con él. La respuesta de Pellegrini fue contundente: «¿Por qué pobre? Lo que hizo, lo hizo por plata, eso no tiene ninguna justificación...».

POLIFUNCIONAL

—Usted está ¿enamorado u obsesionado con el fútbol?

—Ni lo uno ni lo otro. Creo que ha sido una profesión que me ha dado todo lo que he necesitado y que me ha hecho —esa es mi mayor satisfacción— probarme de lo que soy capaz de hacer. Pero no creo que tenga la vocación que tenía Fernando

Riera, por ejemplo. Él le dedicó todo su tiempo al fútbol. A mí me encanta el fútbol, pero no soy un obsesionado.

—Sin embargo, por las herramientas que tenía, pudo elegir cualquier otro camino y optó por el fútbol. Ahí hay una prueba de vocación muy grande…

—Me dediqué a esto porque sentí que era lo que me gustaba hacer, era lo que más me divertía. Por eso privilegié el fútbol por sobre mis otras posibilidades o carreras. Eso es distinto a la vocación absoluta de Fernando Riera o Arturo Salah. Ellos le han dedicado toda su vida al fútbol.

—Usted también…

—Pero tengo otros intereses. No le dedico las veinticuatro horas del día. Además, creo que sería un peor técnico si lo hiciera.

—¿Por qué?

—Porque un entrenador debe saber de otras cosas para poder manejar un grupo. Hay que leer de otros temas, estar preparado para relacionarse y empatizar con disímiles personalidades de jugadores, dirigentes y medios de comunicación. Abrir la mente con otras áreas de conocimiento. No creo que la fórmula correcta sea estar encerrado todo el día viendo videos de fútbol, porque tengo muchos otros intereses que me apasionan en paralelo a mi profesión.

El diálogo con Pellegrini abre la puerta hacia las diversas facetas que el chileno ha desarrollado paralelamente al oficio de técnico.

Lector «de tres o cuatro libros al mismo tiempo», amante de la música, el cine y la pintura, el Ingeniero ha desarrollado un mundo íntimo, ajeno al campo de juego, explorando distintos intereses. Fue así como en una entrevista para la revista *Sábado*, en 2013, declaró: «[…] Si tuviera una próxima vida no me gustaría ser técnico. Preferiría ser un artista: un escritor, pintor, escultor. Hacer cosas que hoy no sé hacer y que me gustaría saber. Creo que por eso termino leyendo tanto, porque es la forma que tengo de experimentar otras vidas».

Es abril de 2015 en Santiago, y el político Jorge Burgos aún es ministro de Defensa del segundo gobierno de Michelle Bachelet. Aficionado al fútbol y cercano a Pellegrini luego de coincidir con él en Quito entre los años 1999 y 2000 (uno como embajador de Chile en Ecuador y el otro como técnico de Liga Deportiva Universitaria, LDU), Burgos fue quien recomendó el nombre del Ingeniero a Rodrigo Paz, millonario ecuatoriano propietario de LDU.

«Rodrigo era un tipo muy importante en Quito», recuerda. «Fue alcalde, ministro y candidato a la presidencia, incluso. Entablamos amistad porque nos encontrábamos frecuentemente en actividades protocolares. En una oportunidad me contó que estaba buscando técnico para su equipo y me preguntó si yo ubicaba al chileno Jorge Garcés, el "Peineta". Yo le dije que sí, pero le comenté que había otros dos entrenadores chilenos de primer nivel: Arturo Salah y Manuel Pellegrini. Al final el señor Paz se interesó primero por Arturo, pero justo estaba negociando con Cobreloa. Fue el mismo Salah quien lo derivó a Pellegrini y terminó siendo el DT de Liga. Imagínate las coincidencias: calzó todo, Manuel vino, estuvo un año, fue campeón e inició su exitosa carrera internacional».

Burgos relata la historia de la llegada del DT a Ecuador instalado en su despacho del Ministerio de Defensa. Tiene una amplia vista al Palacio de la Moneda. Pocos meses después debería cruzar la calle para instalarse como nuevo ministro del Interior tras ser nombrado por la presidenta: «Jugábamos tenis y futbolito todas las semanas con un grupo de chilenos. Es un tipo muy tranquilo, introvertido incluso. Cuida su intimidad a los máximos niveles. Fue un par de veces a cenar a mi casa. Yo lo invitaba porque sabía que estaba solo, sin la familia. Así fuimos conociéndonos más».

Esa temporada, Pellegrini llegó hasta los cuartos de final de la Copa Libertadores de América con Liga y consiguió el título del torneo ecuatoriano, su primer triunfo fuera de Chile y en su primera temporada en el extranjero. Alcanzó a estar poco más de un año en Quito, ya que renunció a mediados de 2000 debido a los problemas económicos del club.

Sin embargo, a Jorge Burgos no fue la campaña futbolística lo que más le llamó la atención del técnico: «Es un tipo muy culto. No responde al perfil común de los entrenadores de fútbol. Recuerdo que siempre me hablaba de los libros que estaba leyendo, de arte, de pintura. Estaba muy atraído por la pintura ecuatoriana. Íbamos juntos a galerías de arte, exposiciones y algunos remates. Lo insólito es que él tenía mejores datos que yo que era el embajador. Él fue invirtiendo en varias obras de pintores importantes, pero lo hacía muy discretamente. Yo me daba cuenta de lo que compraba, pero él no te decía nada, jamás alardeaba que se compró tal o cual pintura».

En Quito, el ex entrenador de las divisiones juveniles de Universidad Católica, Fernando Díaz, acompañó a Pellegrini como ayudante técnico en la LDU. El «Nano» afirma que Pellegrini combinaba sus tiempos como entrenador con su afición por la lectura: «En esa época estaba obsesionado con los libros de liderazgo. Leía y leía sobre coaching, autoayuda, etcétera. Todos los días llegaba contándome de algún concepto nuevo que le había llamado la atención. Claramente, él tenía un mundo paralelo al fútbol con intereses muy diversos».

La afición al arte de Pellegrini no se suscribía a los libros y la pintura solamente. La música, y en particular el piano, también se transformó en un pasatiempo importante para el técnico.

Un hobby que, según José María Aguilar, presidente de River Plate en la etapa del chileno en el club, en algunos casos usaba de vía de escape ante el estrés de la competitividad futbolística: «Uno se percataba de inmediato cuando quedaba muy tocado y molesto por una derrota o cuando las cosas estaban complicadas. Al día siguiente de los partidos yo lo llamaba temprano en la mañana a su casa si es que el equipo no entrenaba. Generalmente me contestaba alguien de su familia —si es que habían viajado a visitarlo— o la persona que lo ayudaba con el aseo y las cosas domésticas. Preguntaba por él y si la respuesta era "está tocando piano", era mejor no insistir, porque significaba que no quería saber nada con nadie y se había encerrado a tocar para relajarse después de un partido».

Antes de cerrar su incorporación al Villareal de España, Pellegrini tuvo que reunirse con José Manuel Llaneza, vicepresidente e ideólogo del sólido proyecto deportivo que levantó a la institución de la mano del técnico chileno.

Corría abril de 2004 y el Ingeniero se hospedó en el Hotel Vincci de Valencia para trasladarse por la tarde al encuentro con el máximo dirigente del club.

Durante la mañana del día de la reunión, el chileno compartió un café con su agente Jesús Martínez y un par de amigos del representante. Mientras conversaban amenamente, el chileno reconoció que estaba muy entusiasmado con su llegada al fútbol europeo. Ahí uno de los comensales le hizo una advertencia al entrenador, según recuerda Martínez: «"Ojo, no te quiero asustar, pero mira que es mejor estar preso en Valencia que libre en Villarreal. Esa es una ciudad muy aburrida, demasiado tranquila y con apenas cuarenta mil habitantes". Mis amigos le estaban adelantando con lo que se iba a encontrar. Pero a él le daba lo mismo. Solo atinó a reírse y les dijo que andaba detrás de desafíos profesionales, no de ciudades fomes o entretenidas».

Tras el éxito de las negociaciones y ya instalado en España para su primera aventura europea, Pellegrini aprovechó la tranquilidad de su nuevo entorno y siguió ampliando sus intereses extrafutbolísticos.

El chileno mantuvo los hábitos de asiduo lector en su casa del pequeño balneario de Benicasim, un hermoso punto de veraneo ubicado a veinte minutos de Villarreal. Emplazada en la cima de un cerro y con una vista espectacular del mar Mediterráneo, la casa del chileno era la única que tenía la luz prendida en las noches de invierno, ya que la zona concentraba toda su actividad durante las vacaciones estivales.

Su ex compañero, Héctor Pinto, visitó al entrenador el año 2006: «La casa era muy hermosa. El lugar era paradisíaco, una paz total. Él estaba muy solo, ciento por ciento dedicado al Villareal. Leía mucho, veía películas, televisión. No compartía con casi nadie. La única compañía que tenía era un gato que había adoptado y cuidaba en su casa. Era muy cómica la imagen del gato con Pellegrini».

De su casa al campo de entrenamiento. Del campo de entrenamiento a su casa. Y muy de vez en cuando, de su casa a algún restaurante. Esa era la rutina diaria del chileno al mando del Submarino Amarillo. Una monotonía que el entrenador quebró durante seis meses, cuando decidió agregarle a sus traslados el viaje de ida y vuelta a una escuela de canto en Castellón, otra pequeña localidad cercana a Villarreal.

Convencido de la necesidad de prepararse en diversas áreas para lograr el éxito profesional, Pellegrini se percató de que su garganta estaba sufriendo el desgaste del oficio de técnico, en el que se debe estar constantemente gritando al borde de la cancha para repartir las instrucciones a sus jugadores.

Con poco más de cincuenta años, el Ingeniero utilizó su lógica matemática, proyectó que aún le quedaban varias temporadas en el fútbol profesional y decidió que era el momento de trabajar uno de los instrumentos más importantes para un entrenador: la voz.

Cuenta Pellegrini: «Tomé clases con una profesora de canto en una academia de Castellón. Mi idea no era aprender a cantar, obviamente, sino que necesitaba empezar a cuidar mi garganta y adquirir la técnica para sacar la voz desde el estómago».

—¿Tiene claro que eso no lo hace casi ningún entrenador en el mundo?

—No tengo idea, pero para mí no tiene nada de extraordinario.

—¿No?

—Simplemente es buscar herramientas que me permitan estar mejor preparado. Necesitaba aprender a impostar la voz, lo estaba haciendo mal, desgastándola mucho, por eso busqué a alguien que me pudiera ayudar.

—¿Y lo hacían cantar?

—Sí, claro que me hacían cantar…

Entre aquellas herramientas a las que aludía Pellegrini, los idiomas fueron desde el inicio del camino una necesidad de aprendizaje constante.

En el colegio Sagrados Corazones de Manquehue recibió sus primeras nociones de francés, el que terminó dominando tras el curso que realizó en el Instituto Francés-Canadiense de Santiago junto a Arturo Salah en los años ochenta.

El inglés lo fue perfeccionando desde la primera etapa escolar en el Saint George's College, manteniendo la práctica y el manejo a través de la lectura y los diversos viajes que realizó durante toda su vida.

De italiano no hubo estudios formales, pero su ascendencia peninsular, la lectura de novelas y de revistas especializadas de la liga italiana, le permitieron acceder a un dominio importante de la lengua de los primeros Pellegrini Ripamonti que llegaron a Chile.

Inglés, francés e italiano, tres idiomas que se sumaban al español, su lengua materna. Tres posibilidades infinitas de conocimiento. Tres llaves para abrir diversos horizontes profesionales en caso de que el destino, como ocurrió con la Premier League, lo sacara del confort de dirigir en un país de habla hispana.

Una ventaja importante, según el directivo del Manchester City, Txiki Begiristain: «Su buen manejo del inglés fue fundamental al pensar en él como técnico para el City. A los entrenadores sudamericanos les cuesta mucho adaptarse en Europa cuando no dominan el idioma. Manuel, en cambio, tiene la capacidad de adaptarse y en eso ayuda mucho que se comunique en inglés».

No contento con hablar cuatro idiomas, el Ingeniero aprovechó su etapa en la costa española para buscar un desafío más complicado y decidió estudiar alemán. Durante un año completo combinó sus actividades de entrenador profesional con las de estudiante en clases particulares. ¿El resultado? Según propia confesión: «Aprendí muy poco, no hablo nada de alemán. Tomé clases por una exigencia y motivación personal, para aprender cosas nuevas. Soy un gran admirador de la gente que logra hacer cosas mejores que yo.

»Cuando veo a una persona tocando perfectamente un instrumento, por ejemplo, me quedo pegado admirando su capacidad para hacer algo que yo jamás podré lograr. Con el alemán, lo mismo: busco cosas nuevas para ejercitar la mente, para obligarme a pensar».

CAPÍTULO 5

«En construcción»

DESDE CERO

Luego del poco alentador debut en la banca de Universidad de Chile y tras algunos meses dedicado a diversos proyectos en su rol de ingeniero, en junio de 1990 Pellegrini se reinsertó en el fútbol profesional chileno asumiendo como técnico de Palestino, un club de colonia con un presupuesto modesto y una afición muy reducida, es decir, una institución sin el revuelo mediático de la U.

Enfocado en relanzar su carrera manteniendo sus convicciones y estilo, el DT llamó rápidamente la atención de sus nuevos dirigidos al adoptar una medida que escapaba a las tradicionales atribuciones técnicas: «Cuando llegó al club se encontró con un complejo deportivo muy precario [estadio La Cisterna] y mínimas condiciones de trabajo para un equipo profesional. Lo primero que hizo fue mandar a pintar el camarín con su plata. Las paredes tenía hongos y eran de color café; cuando las vio dijo: «Esto es deprimente, quiero muros blancos porque hay que darle luminosidad a este vestuario».

El recuerdo es de Severino Vasconcelos, un talentoso volante brasileño de gran campaña en las canchas chilenas en la década de 1980 con la camiseta de Colo-Colo. Con treinta y siete años en ese momento (la misma edad que Pellegrini) y viviendo sus últimos partidos como futbolista profesional, el mediocampista compartió el proceso del DT al mando del cuadro de colonia:

«Alguna gente tenía dudas porque venía de descender con la U, pero él se mostró muy seguro ante el grupo y jamás mencionó el tema del descenso. Llegó con un estilo muy profesional, exigiendo mucho, pero mostrando gran manejo también. Claramente lo que le pasó le sirvió para ir aprendiendo».

Al mando de los árabes, Pellegrini logró una campaña sobresaliente a pesar de las precariedades presupuestarias. Remató en el quinto lugar de la tabla con un equipo que jugaba bien al fútbol, comenzando a poner en práctica una de las características que le destacan sus dirigidos al momento de evaluarlo como entrenador: el manejo de la disciplina en el camarín a través de la capacidad para generar el compromiso de sus jugadores.

Según Vasconcelos, en Palestino el técnico invitaba ocasionalmente al plantel a un asado para compartir y celebrar los buenos resultados. En una de esas convivencias ocurrió una anécdota que refleja la mezcla entre autoridad y confianza que despliega el DT: «Los asados a los que nos invitaba siempre eran muy buenos. Todo muy rico, tranquilo. Pero una vez hubo uno que terminó temprano y éramos varios los que teníamos ganas de seguir con la convivencia e ir a tomarnos algo antes de llegar a nuestras casas. El problema es que andábamos sin plata, sin efectivo. Estamos hablando de hace veinticinco años, cuando no existían los cajeros automáticos por todas partes como ahora. La cosa es que nadie tenía dinero y decidí ir a pedirle plata a Manuel. Todos me preguntaron si estaba loco porque se iba a molestar cuando se enterara de que queríamos seguir celebrando, sabiendo que había entrenamiento al otro día temprano. Pero nada, yo fui, le expliqué la situación y él me preguntó cuánto necesitábamos. Me pasó la plata sin problemas y lo único que dijo fue que nos acordáramos que al otro día había que estar a las diez de la mañana impecables entrenando. Así nos fuimos a carretear con la plata que nos pasó Pellegrini y al día siguiente no falló nadie».

Tras un breve paso por la selección chilena como ayudante técnico de su amigo Arturo Salah, el Ingeniero retomó la banca de Palestino, y entre 1991 y 1992 completó 23 partidos invicto con dicho equipo. Otra vez los resultados lo acompañaban, pero el proyecto se vio truncado debido a la difícil realidad presupuestaria del club.

Pellegrini renunció tras determinar que «no estaban las condiciones» para trabajar profesionalmente y un par de meses después, gracias a la buena imagen que dejó en La Cisterna, otra institución decidió apostar por el entrenador que había debutado descendiendo con Universidad de Chile: O'Higgins de Rancagua.

En su primera salida de Santiago como técnico, se ubicó dos temporadas consecutivas en el sexto lugar de la clasificación, metiendo a los celestes en la liguilla de Copa Libertadores. Campañas más que satisfactorias para un equipo de provincia.

En ese momento el portero Nelson Tapia, quien con los años se transformaría en titular indiscutido de la selección chilena, iniciaba su etapa profesional: «Todos lo veíamos muy lejano. Por su trato, su manera de interactuar, siempre distante, aunque muy respetuoso. Eso era una de las cosas que marcaba la diferencia con otros técnicos. A pesar de esa forma de ser, siempre estaba preocupado de enseñarnos más allá del fútbol, de cuidarnos. Nos decía que si íbamos a salir lo hiciéramos solos, no en grupo. Que nunca más de una copa arriba de la mesa, porque la gente después hablaba. Nunca nos prohibía hacer algo, pero era muy claro con la reglas.

»Por ejemplo, cuando salíamos a jugar a otra ciudad y tras el partido nos quedábamos afuera porque no regresábamos el mismo día a Rancagua, él no te decía que teníamos la noche libre, sino que te avisaba que "mañana el bus sale a las diez del hotel. A las 09.55 todos en el bus". Entonces uno le preguntaba: "Pero, profe, ¿podemos salir?". Y él ni sí, ni no: "Mañana en el bus a las 09.55". Así era con todo: te entregaba la responsabilidad a ti, el compromiso era tuyo. Él no prohibía nada, pero uno sabía que tenía que responderle porque si no, se acababa la confianza.»

Pellegrini se sentía cómodo en Rancagua y los buenos resultados lo avalaban; sin embargo, otra vez las precariedades económicas complicaban su trabajo: la dirigencia, encabezada por el presidente Rodolfo Cueto, llevaba meses atrasada en el pago de los sueldos de los jugadores. La coyuntura tensionó la relación entre el DT y la directiva, al punto de generar el quiebre definitivo, en noviembre de 1993, cuando Pellegrini presentó su renuncia esgrimiendo que «no estaban las condiciones» para hacer un trabajo profesional.

Cruzado caballero

Las buenas campañas al mando de Palestino y O'Higgins le permitieron al entrenador reinsertarse en la primera línea del fútbol chileno. El técnico había logrado destacarse en instituciones de menor presupuesto, revalorizando su nombre y llamando la atención en el medio por su profesionalismo, método de trabajo, manejo del camarín y propuesta futbolística.

Fue así como a principios de 1994, Universidad Católica contrató los servicios del Ingeniero, quien aterrizó en el impecable complejo deportivo de San Carlos de Apoquindo con el mismo estilo de liderazgo patentado en su paso por los clubes árabe y celeste.

Dentro de ese decálogo técnico, la necesidad de mantener en regla el peso de sus dirigidos se transformó en un postulado irrenunciable para el DT. Un dogma que el ex defensa asimiló en su época de jugador bajo la batuta de su maestro Fernando Riera, y que logró instalar en el fútbol chileno con anterioridad a la gran mayoría de sus colegas del medio.

En la UC se encontró con un plantel numeroso, de nombres importantes, con varios seleccionados nacionales y un trío de argentinos que generó gran impacto en la liga chilena: Sergio Fabián Vásquez, Néstor Gorosito y Alberto Acosta, todos con alguna presencia en la selección albiceleste.

Indiferente al tonelaje del plantel cruzado, a su llegada al club el técnico implementó su estilo de trabajo sin mayores variaciones, llamando la atención no solo por su reconocida capacidad de planificación y seriedad, sino también por la instauración de un rígido sistema de control del peso para el plantel, sorprendiendo de inmediato a sus nuevos dirigidos.

Nelson Parraguez, titular en el medio campo de Universidad Católica bajo la dirección técnica del Ingeniero entre 1994 y 1996, recuerda: «Era un obsesivo con nuestro peso. Todos los días, antes del entrenamiento, él mismo nos pesaba en una de esas balanzas antiguas, como las que se usan en los pesajes de los boxeadores. Provocaba un momento de tensión absoluta, porque si no estabas en tu peso, con un margen de un kilo para arriba o uno para abajo, simplemente no te dejaba entrenar y te mandaba a trotar marginado del resto del equipo».

Bajo esa disciplina, los que más sufrían eran aquellos futbolistas con mayor tendencia a engordar, grupo en el que se encontraba el capitán, Mario Lepe. «Cada vez que comíamos algo uno andaba preocupado si esto engorda más o menos, porque sabías que al día siguiente Pellegrini sería implacable. Estamos hablando recién de la década de 1990. Esa rigidez con el peso nunca la había visto con otros entrenadores y menos que fuera el propio DT quien te pesara, ya que generalmente ese trabajo lo hacía el utilero o el preparador físico y uno podía "manejar mejor la información".» «Pero con Pellegrini eso era imposible», complementa Néstor Gorosito, el destacado volante argentino que se transformó en uno de los grandes líderes de aquel plantel cruzado.

Radicado en Argentina como director técnico, el «Pipo» confirma que el sistema de pesaje del DT era infalible: «Al principio nosotros empezamos a llegar más temprano a San Carlos para tratar de que no nos pesara él. Pero Manuel se dio cuenta rápido y se instalaba a las siete de la mañana en su oficina, era el primero en llegar y así era imposible zafar. Si por alguna razón no aparecía temprano y alguien se las arreglaba para pesarse antes, no servía de nada, porque te obligaba a subir a la balanza de nuevo delante de él. El que llegaba con cien gramos de más o de menos del margen autorizado, no cumplía con los estándares exigidos. Era una joda porque uno se enteraba de que varios compañeros después de cenar en sus casas salían a correr por la calle, con bolsas de basura en el abdomen para quemar el mayor número de calorías posible de cara al pesaje de la mañana siguiente. Al final lo que todos queríamos evitar era el lápiz rojo en el mural, porque todos los días escribía en una planilla, que tenía pegada en la pared del camarín, el peso diario de cada integrante del plantel. Los que cumplían quedaban anotados con lápiz azul, los que estaban en falta, con lápiz rojo, como en la escuela».

En 1994, uno de los encargados de la cocina de San Carlos de Apoquindo era Álex Bahamondes, un joven ex futbolista de divisiones juveniles que, aunque no logró dar el salto al fútbol profesional, se mantuvo ligado al camarín como responsable del menú del plantel durante las concentraciones.

Habituado a un lugar secundario con los diferentes cuerpos técnicos que le tocó compartir, la llegada de Pellegrini significó todo un desafío en la rutina del auxiliar: «Don Manuel era una persona muy especial. Extremadamente detallista, profesional, muy respetuoso. Desde el primer día me hizo sentir importante. Me explicaba que cómo yo hiciera mi trabajo sería fundamental para mantener el equilibrio alimenticio y del peso del plantel.

»Como la obligación era la de pesarse frente a él, los muchachos comenzaron a llegar en ayunas. Así pasaban por la balanza primero y luego desayunaban, antes de entrenar. Todo valía para aprobar en la pesa. Lo mejor era ver cómo se molestaban entre ellos y se reían. Nada que ver a don Manuel, a quien no le hacía ninguna gracia cuando alguien llegaba fuera de los márgenes permitidos.

»Varios jugadores vivían con una constante ansiedad por comer. Los pobres se cuidaban tanto que a cada rato me andaban pidiendo cosas por abajo. Además, sobre todo en las noches, los menús eran muy sanos, sin pan ni nada que engordara mucho, por lo que siempre me estaban llamando a mi pieza para que les preparara un sándwich y así matar el hambre.

»Igual Pellegrini se daba cuenta, pero dejaba un margen. Incluso una vez, tras perder un partido, en tono de broma, pero con la mirada fija, como diciéndome que tenía claro que había un contrabando nocturno, me dijo: "Por culpa de usted hubo gente que corrió menos de lo habitual ¡Quizá qué les dio anoche!"».

A pesar de los llamados de atención y la fijación por cada detalle de su trabajo en la cocina, Bahamondes afirma que Pellegrini tuvo gestos inéditos: «Varias veces, tras una buena victoria o la repartición de premios que se hacía en el plantel por objetivos cumplidos, me llamaba a su oficina y me entregaba un sobre con dinero. Yo lo quedaba mirando, y él simplemente me decía: "Esto es suyo también. Gracias por ser parte de este proyecto y colaborar con el buen desempeño del equipo".

»En otra oportunidad me pidió que me encargara de la cena de Navidad que iba a organizar junto a sus padres. Recuerdo que llegué como a las cinco de la tarde a su casa. Estaba todo impecable, organizado, una casa de lujo. Ningún detalle al azar. Yo igual estaba nervioso, no le quería fallar. Tipo once de la noche, mucho más temprano de lo que yo pensaba, entró a la cocina y me dijo que me fuera a mi casa. "Pero si es muy temprano", le dije yo, "hay que retirar y levantar la mesa todavía". Sin embargo, me obligó a irme para alcanzar a llegar a la medianoche a mi casa. Cuando me estaba yendo, me agradeció por todo y me pagó el triple de lo que habíamos acordado previamente por mis servicios.

»Aquellas actitudes generaban un compromiso absoluto hacia el proyecto de Pellegrini. La exigencia era máxima, pero terminaba convenciéndote de su sistema. Además se generaban anécdotas simpáticas. Muchas veces, como estaba tan pendiente de lo que comían los jugadores, entre ellos se hacían bromas para meter en problemas a alguno que se descuidara con sus bolsos, esos típicos bananos en los que llevaban sus cosas de baño. A la primera oportunidad le robaban el bolsito a alguno y se lo llenaban de galletas, marraquetas o lo que encontraran a mano. Cuando devolvían el bolso, y antes de que el afectado lo abriera, alguno comentaba en voz alta que ese jugador estaba descuidando su dieta. Pellegrini de inmediato paraba la oreja y ahí le decían: "¡Profe, revísele el bolso a fulanito!"».

Mario Lepe recuerda que las reglas eran igual para todos, ya que daba lo mismo si se trataba de un jugador juvenil o alguien experimentado como el propio capitán: «Llegaba a tanto el tema que cuando compartíamos los almuerzos o cenas en la concentración nos preguntábamos entre nosotros: "¿Cuánto vas a comer?, me tinca que estoy con cuatrocientos o quinientos gramos de margen". Uno se subía a la pesa y empezaba con el jueguito de mover el péndulo para un lado y para el otro mientras uno estaba como loco de nervios. Si no cumplíamos, él era intransigente: no te dejaba entrenar con el plantel y en algunas oportunidades te sacaba del equipo titular. Cuando eso ocurría te miraba y te decía: "Mario, usted hoy no entrena con nosotros, está lesionado"».

La llegada del Ingeniero a San Carlos de Apoquindo no estuvo exenta de polémica. Por más de catorce años había defendido como jugador la camiseta del archirrival, Universidad de Chile, un lazo que obviamente generó ruido en parte de la parcialidad cruzada. Fernando Carvallo, jefe del fútbol formativo de la UC durante aquellos años, recuerda: «El hincha de Católica siempre ha sido muy jodido y Manuel estaba identificado con la U.

A eso había que sumarle lo del descenso y todo el ruido de la prensa; sin embargo, él rápidamente se instaló y tomó el control de todo. Era muy profesional y dedicado, por lo que tuvo la capacidad para manejar extraordinariamente a ese quipo que estaba lleno de figuras como el Pipo [Gorosito], el Beto [Acosta], Vásquez [Sergio Fabián], etcétera. Además, sacó rendimientos sobresalientes a varios jugadores que, sin ser grandes figuras, lograron un nivel que les permitió llegar a la selección. Ese equipo jugaba extraordinario y llenaba todos los fines de semana el estadio. Fue una lástima que no pudiera obtener el título nacional».

Efectivamente, en las temporadas 1994 y 1995 la Católica desarrolló un fútbol muy vistoso, batiendo todos los récords de asistencia a San Carlos de Apoquindo y demostrando una capacidad goleadora contundente; sin embargo, en ambos torneos terminó en el segundo lugar, a solo un punto de la U, que consiguió el bicampeonato de la mano de un joven Marcelo Salas que iniciaba avasalladoramente su carrera profesional.

Alberto Acosta, máximo anotador del certamen de 1994, convirtió la friolera de 68 goles en 69 partidos bajo la batuta del Ingeniero. El Beto, quien fue uno de los líderes indiscutidos de ese plantel junto a Néstor Gorosito, hoy recuerda el golpe que significó quedarse con las manos vacías: «Jugábamos muy bien y la gente se divertía con el equipo. Lamentablemente no se pudo. La U hizo una campaña extraordinaria también y fue más regular que nosotros. Muchos lo criticaron porque decían que nosotros teníamos mucho más plantel por la presencia mía, de Charly o de Pipo, pero el tiempo demostraría que ese grupo de la U era extraordinario también, ya que fueron la base de la selección chilena que clasificó al Mundial de Francia 1998».

La obtención, en 1994, de la Copa Interamericana (único título internacional en la historia de la UC) y de la Copa Chile, en 1995, no sirvieron para acallar las críticas, las que comenzaron a caer con fuerza sobre Pellegrini desde la hinchada y un sector del medio periodístico. Al técnico se le acusaba de no plasmar en títulos los cuatro millones de dólares que los dirigentes habían invertido en la contratación de Gorosito y Acosta. Las figuras argentinas habían sido transferidas a fines de 1995 y la temprana eliminación en la Copa Libertadores de 1996 terminó por desencadenar la salida del DT.

El Ingeniero fue cesado de la tienda estudiantil tras dirigir 124 duelos, con un registro estadístico de 72 partidos ganados, 31 empatados y 21 perdidos, con 261 tantos a favor y 137 en contra, es decir, una diferencia positiva de 124 goles y un rendimiento global del 66 por ciento.

Jorge Correa, dirigente de Universidad Católica al momento de la salida del entrenador, recuerda: «En la interna del club, me refiero a dirigentes, plantel y funcionarios, había total conformidad con su profesionalismo y lo atractivo de su propuesta futbolística. Era un hecho que los subcampeonatos de 1994 y 1995 habían sido muy duros de asimilar, pero también uno se daba cuenta de que el equipo lo había dado todo, llenaba el estadio todos los fines de semana y al final hubo otro gran competidor [la U] que te quitó los títulos por apenas un punto. Esas frustraciones generaron molestia en la hinchada, el aficionado de la UC es muy exigente y la presión sobre Pellegrini empezó a hacerse insostenible. Al final, aunque nosotros estuviéramos convencidos de su capacidad, la situación no dio para más y Manuel tuvo que salir del club».

Cuestionado por el medio, sin el título de un Torneo Nacional en su palmarés y con la frustración de no haber plasmado en copas el gran nivel futbolístico desplegado, Pellegrini se marchaba de Universidad Católica cuestionado por varios sectores de la prensa, pero con el reconocimiento de sus dirigidos. Algunos de ellos, comenzando por Gorosito y Acosta —las principales estrellas del plantel—, salieron a defender al entrenador públicamente, afirmando que se trataba del «mejor técnico» que habían tenido en su carrera. Una declaración que en ese momento sonó poco creíble y con aroma a solidaridad, pero que seis años después, cuando Pellegrini dio el salto al competitivo medio argentino, fue clave al momento de pavimentar su llegada a San Lorenzo de Almagro, club que consultó precisamente al Pipo y al Beto su opinión sobre el DT chileno.

Refugiados

Paralelamente a la salida de Pellegrini de la banca de Universidad Católica, su amigo Arturo Salah regresaba a Chile tras dos temporadas dirigiendo al Monterrey en la Primera División del fútbol mexicano, y otra vez el destino los ubicaba en la misma vereda. Porque tal como había ocurrido en sus pasos por la Escuela de Ingeniería como estudiantes, por los camarines de Audax Italiano y Universidad de Chile como jugadores y en la etapa de preparación para transformarse en técnicos durante la década de los ochenta, ambos ingenieros finalizaban 1996 sin club y duramente cuestionados por parte de la prensa, la que les enrostraba duramente la falta de títulos en sus experiencias técnicas recientes, según cuenta el propio Salah: «Vivimos una situación difícil en ese momento. Un sector del medio periodístico había generado una caricatura de nosotros. Nos llamaban "los Patricios", aludiendo a la casta privilegiada de los romanos. Obviamente ahí había un dejo de resentimiento, propiciado por quienes jamás entendieron nuestra manera de afrontar la profesión de técnico de forma profesional, con la máxima autoexigencia y también para quienes nos rodeaban».

Sin dirigir y con pocas perspectivas de fichar en algún club nacional, Pellegrini retomó sus actividades ligadas con la ingeniería y decidió embarcarse en un emprendimiento junto a Salah y el ex dirigente de Universidad de Chile, Humberto Lira. Se trataba de un complejo de canchas de futbolito, El Refugio, un nombre que según Jorge Pellicer, ex futbolista de Audax Italiano en la década de 1980 y que fue reclutado por el trío de emprendedores para asumir la gerencia del centro deportivo, tenía un significado muy profundo: «Manuel y Arturo buscaron un lugar donde, literalmente, refugiarse de las críticas y los ataques mediáticos que les propinaban. Se trata de dos personas ciento por ciento enamoradas del fútbol, por lo que para ellos fue muy difícil verse sin opciones para dirigir. El Refugio les sirvió para enfocarse en un proyecto distinto, demostrando una capacidad empresarial importante. Recuerdo que Arturo estaba mucho más afectado. Salah es mucho más pasional; Pellegrini estaba bastante más limpio de cabeza, más indiferente a la crítica y con mucha seguridad en sí mismo, gracias a su gran capacidad de abstracción».

Concentrado en el proyecto privado, y ajeno a la contingencia local, corría el primer trimestre de 1998 cuando el ex técnico de Universidad Católica recibió una inesperada oferta: dos años después de su última experiencia en una banca, Palestino le ofrecía nuevamente hacerse cargo del club.

Tal como en 1990, tras el descenso con la U, el club árabe aparecía otra vez como una oportunidad para reinsertarse y recomenzar desde abajo en una institución de modestos recursos. Recuerda Pellicer que Pellegrini «asume en Palestino con mucho interés. Entusiasmado por la posibilidad de dirigir nuevamente en el fútbol profesional. Fue una lástima que el proyecto quedara truncado muy rápido, fue otro golpe duro para él».

Efectivamente, su segunda estadía en Palestino (1998) no pasó de la fecha once del torneo nacional. Pellegrini apenas alcanzó a dirigir catorce partidos, incluida la Copa Chile, pero las precariedades económicas del club, los sueldos impagos de los jugadores y la nula respuesta de los dirigentes ante sus requerimientos motivaron al técnico a presentar su renuncia. Nuevamente «no estaban dadas las mínimas condiciones» para seguir trabajando.

El truncado regreso al profesionalismo generó nuevas críticas en contra del entrenador. Los francotiradores que lo habían elegido como blanco predilecto durante su estadía en la UC volvían a cargar su artillería, utilizando la experiencia en Palestino para argumentar sobre su supuesta «incapacidad».

La nueva e incómoda situación motivó al entrenador a tomar dos decisiones que marcarían su futuro para siempre: primero, optó definitivamente por concentrarse en su carrera futbolística, abandonando para siempre cualquier actividad relacionada con la ingeniería (diecisiete años después explicaría esa determinación en la charla en la Facultad de Ingeniería de la PUC, afirmando que llevaba una década como técnico sin que lo obtenido llenara sus expectativas y tampoco había logrado hacer una carrera sobresaliente en el rubro de la construcción debido al poco tiempo que le había dedicado). Y en segundo lugar, decidió comenzar a buscar nuevos horizontes en el extranjero, dándole un valor superior a aquella idea que había compartido años antes con su dirigido Rodrigo Gómez: «Tengo que trabajar en un medio más profesional. Entre más profesional el medio, tendré más posibilidad de éxito también».

Ya con la mira puesta en el exterior, en noviembre de 1998 Pellegrini, acompañado por Salah, decidió aprovechar la cesantía y organizó una gira por Europa para conocer los métodos de trabajo de diversos técnicos. Otra vez, tal como habían hecho en los ochenta en Francia, Italia e Inglaterra, buscaban una experiencia de perfeccionamiento.

Durante 45 días compartieron con entrenadores de renombre a cargo de clubes de nivel mundial. En España presenciaron las prácticas del Barcelona de Louis van Gaal, en Escocia conocieron el sistema de Dick Advocaat al mando del Glasgow Rangers, en Holanda fueron recibidos por el seleccionador nacional Guus Hiddink y en Inglaterra se adentraron en la disciplina del Arsenal de Arsène Wenger.

Todos entrenadores de primer orden internacional y que según Salah les dejaron huella: «Ese viaje fue una constatación de que nuestra forma de trabajar era la correcta y que no estábamos tan perdidos como algunos decían. Nuevamente nos trajimos mucho trabajo específico para los entrenamientos y en general se trató de una gira extremadamente enriquecedora para mí y Manuel, quien tras las visitas a Escocia e Inglaterra volvió muy entusiasmado con la liga inglesa. Él siempre fue un admirador de la Premier League y tenía el deseo íntimo de dirigir allá alguna vez».

De regreso a Chile, la dupla siguió gestionando El Refugio y en paralelo Pellegrini mantenía algunos trabajos como ingeniero. En eso estuvieron ocupados por más de dos años.

A fines de 1999, Danilo Díaz, periodista de *Don Balón* cercano a Salah, visitó al técnico en el complejo deportivo y se topó con Pellegrini, quien le contó algunos aspectos del viaje a Europa: «Llegó deslumbrado con la liga inglesa. No solo por su fútbol atractivo, también por la organización, el respeto por el hincha, el concepto del espectáculo integral, en el fondo. Uno lo veía sin club, administrando unas canchas de futbolito, medio exiliado del medio, pero él, con una seguridad total en sus herramientas profesionales a pesar de las críticas, pensaba en dirigir alguna vez en el fútbol inglés. Era impensado en ese minuto, pero ahí está ahora: entrenando al Manchester City… Espectacular».

Apuesta solitaria

Formado profesionalmente en Alemania, Felipe Prieto, preparador físico de las series juveniles de Universidad Católica, llamó la atención de Pellegrini cuando este estuvo en la UC. Con una metodología de trabajo moderna y una visión del entrenamiento físico integrado a los ejercicios con balón, el nombre de Prieto quedó anotado en la agenda del técnico tras su salida de San Carlos de Apoquindo.

Lo mismo le ocurrió a Fernando Díaz, el «Nano», quien también trabajaba en las divisiones cadetes del club de la franja.

Cinco años después de coincidir en Católica con Pellegrini, en febrero de 1999, Prieto y Díaz recibieron el mismo llamado de la secretaria de El Refugio, el centro deportivo de Salah y el Ingeniero.

Ambos llevaban años sin hablar con Pellegrini, por lo que se sorprendieron con el llamado a través del cual los citaba sin advertirles ni siquiera para qué. La sorpresa creció aún más cuando se encontraron en la recepción del complejo y entraron, individualmente, al despacho del entrenador. El relato del PF vuelve a mostrar el ejecutivo y pragmático estilo del, en ese instante, recién firmado estratega de la Liga Deportiva Universitaria de Quito: «Sin muchos preámbulos me preguntó si quería irme a Ecuador a trabajar con él. Fue una tremenda sorpresa. Le expliqué que tenía que pensarlo, hablarlo con mi familia, que me diera un poco de tiempo para responderle. Y él me dijo que bueno, pero que me esperaba hasta el día siguiente, nada más. Lo llamé esa misma noche para decirle que sí y Fernando [Díaz] hizo lo mismo, así que partimos los tres una semana después».

Pellegrini había estado días antes en Quito visitando las instalaciones del club, arreglando su contrato y conociendo a Rodrigo Paz, el empresario y político propietario de la LDU, quien había llegado al nombre del entrenador chileno a través del embajador Jorge Burgos (ver capítulo 4: Fuera de juego).

Prieto reconoce que solo aceptó el desafío por la posibilidad de trabajar con Pellegrini, ya que desconocía el fútbol ecuatoriano y lo consideraba menos desarrollado que el chileno: «Yo viajé confiando absolutamente en él, quien nos había dicho que nos íbamos a sorprender con la calidad de las instalaciones y el tamaño del club. Antes de viajar, nos advirtió que fuéramos bien vestidos, porque de seguro iba a estar un contingente de prensa importante esperándonos. Y así fue: cuando salimos del aeropuerto había medio centenar de periodistas instalados para entrevistarlo. Ahí nos dimos cuenta con el Nano de la popularidad y la importancia de la Liga en Ecuador».

Díaz y Prieto se mudaron a Quito junto a sus familias, mientras que Pellegrini, en una determinación que mantendría durante toda su carrera en el exterior, se instaló solo en un departamento del exclusivo barrio Gonzalo Suárez. Su esposa, Carmen Gloria Pucci, y sus tres hijos se quedaron en Chile, marcando para siempre el solitario estilo de vida que ha caracterizado al técnico, con su mujer e hijos viajando esporádicamente a visitarlo.

Pellegrini ha abordado en profundidad en distintas entrevistas el tema de las renuncias familiares y la lejanía, reconociendo que no ha sido fácil mantener su matrimonio a la distancia porque «hay un costo importante por el hecho de perder la relación diaria, la cotidianidad. Me perdí mucho de la formación de mis hijos.

»No hay profesión en el mundo sin beneficios ni costos. Es mucha la gente que trabaja fuera de su país. Lo más cómodo para mí hubiese sido involucrar a toda mi familia, pero elegí el camino más duro, porque al principio era un riesgo, una apuesta que no sabía cómo iba a terminar, y tampoco quise forzarles a un tipo de vida a todos ellos. Mi mujer tenía una carrera exitosa, mis hijos estudiaban…

»Opté por hacerlo solo, pero no es que me mandara a cambiar sin preguntarles nada. Siempre estuve preocupado. No se podía hacer de otra forma esta carrera; yo estaba predispuesto a tomar las decisiones que necesitara para poder triunfar. No era que me diera lo mismo lo que pasara en mi casa: yo siempre iba apoyado, seguía en contacto, quería saber cómo estaban, lo que estaban haciendo. Y ahora no me arrepiento, quedo conforme al ver a mis hijos, que son todos funcionales. Tampoco me separé de mi mujer. Los costos fueron moderados.

»Quizá me he ido transformando en un solitario. En el comienzo de mi carrera tuve que dedicarle todo mi tiempo al trabajo y, en esa situación, hasta la familia tomaba hora para verme. Le debo a mi señora algo muy importante, que es la formación de mis hijos. La verdad es que si yo quería triunfar, tenía que hacerlo así. No me permito ni me he permitido sentir nostalgia, eso es fatal, uno empieza a rendir menos, a sacar el foco del trabajo. Uno empieza: "¿Qué estoy haciendo aquí?, ¿por qué estoy haciendo esto?". Uno tiene que aprender a estar solo y termina por apreciarlo.

»Es muy vacío lograr un gran triunfo y volver a la casa y no tener a nadie con quien celebrarlo, pero eso hace impagable las veces en que me vienen a ver y tengo con quien celebrar. Es curioso, porque cuando voy a Chile quiero estar esos treinta días en familia; pero allá, cuando no tengo esa soledad, comienzo a necesitarla.»

Al debutar en la dirección técnica fuera de Chile, lo primero que tuvo que hacer Pellegrini en Quito fue adaptarse a la idiosincrasia del futbolista ecuatoriano. Misión nada de sencilla, según el delantero argentino Ezequiel Maggiolo, integrante del plantel de la Liga dirigido por el chileno: «El futbolista ecuatoriano tiene unas condiciones físicas impresionantes, pero es menos competitivo y profesional que el argentino, por ejemplo. Él, de entrada, es una persona con mucha presencia, serio y con gran autoridad, así que se paró muy bien frente al plantel. Nunca es fácil para un técnico extranjero hacerse respetar, porque el camarín siempre te está mirando para buscar algún punto débil. Pero no transó en la disciplina ni en el profesionalismo que pedía, sobre todo con lo de la alimentación y el descanso, que eran temas en los que los ecuatorianos tenían costumbres muy diversas».

Fernando Díaz complementa narrando una determinación fundamental que adoptó con el plantel el entrenador a su llegada a Quito: «Lo primero que decidió fue empezar a concentrar al equipo dos días antes de los partidos cuando se jugaba los domingos. Así terminó con la costumbre de las salidas nocturnas de los días viernes, muy arraigada en los futbolistas ecuatorianos.

Después, siendo inteligente y adaptándose a la idiosincrasia local, puso orden y exigencias en la alimentación del plantel. Por último, y aquí lo más importante, marcó de entrada autoridad, imponiendo disciplina ya en la pretemporada, cuando adoptó una determinación sorprendente que le dejó muy claro al plantel qué tipo de entrenador tenían.

»Antes de un partido amistoso frente al Dínamo de Moscú en Quito, fijó una hora para reunirse en el camarín. La cosa es que empezó a pasar el tiempo y había ocho o nueve jugadores que no aparecían, venían atrasados. En ese grupo estaba un par de nombres importantes del plantel, pero a él le dio lo mismo: cuando se cumplió la hora, me obligó a cerrar la puerta del camarín y nos quedamos adentro con no más de trece jugadores, es decir, alcanzaba apenas para afrontar el partido. Mientras los muchachos se vestían y nosotros dábamos la charla, los que habían llegado atrasados tocaban y tocaban la puerta para que los dejáramos entrar, pero él, nada; "no abras por ningún motivo", me dijo. Ese momento fue un antes y un después para el grupo. Se dieron cuenta del tipo de entrenador que tenían al frente. Nunca más hubo un atraso ni un problema disciplinario.»

De la mano de la exigencia, Pellegrini consiguió el compromiso del plantel al enfrentarse con el presidente Paz a la hora de defender a los jugadores, según cuenta Felipe Prieto: «Pasa que Rodrigo Paz era amo y señor del club. Como era el dueño, hacía lo que quería y a veces maltrataba en exceso a los futbolistas. Cuando llegamos, nos enteramos de que los jugadores sufrían descuentos en sus sueldos según los resultados que obtenían, es decir, el presidente no le pagaba su salario completo a un jugador cuando consideraba que no había tenido un rendimiento satisfactorio. Esa era una práctica muy arraigada en el fútbol ecuatoriano, pero él exigió que se acabara y, a pesar de la resistencia inicial, logró que el presidente terminara con esa costumbre, situación que generó un gran compromiso del plantel con nosotros».

Eduardo Hurtado, goleador ecuatoriano de la Liga en ese momento, confirma el apoyo que concitó en el grupo el actuar de Pellegrini: «Él siempre defendió al jugador. Se preocupaba de que estuviéramos bien, con buenas condiciones para trabajar, apoyándonos en todo, más allá de lo que hiciéramos en la cancha. Se llevaba muy bien con todos y siempre estaba pendiente de la persona más allá del futbolista. Creo que esa conexión que logró fue muy importante para conseguir los resultados que se obtuvieron ese año».

El 19 de diciembre de ese 1999, Pellegrini, en su primera experiencia en el extranjero, derrotó 3-1 a Nacional en la gran final del Torneo Ecuatoriano y se consagró campeón con la Liga Deportiva Universitaria de Quito.

Tras once años como entrenador profesional, el chileno levantaba su primera copa en un torneo nacional de dos ruedas, confirmando que la opción de partir a Ecuador había sido un acierto. Pero para el Ingeniero ese triunfo era recién el primer paso en un camino que debía llevarlo a dirigir en ligas más competitivas y equipos más importantes.

Pellegrini tenía totalmente trazada la hoja de ruta para conseguir esos objetivos y, en paralelo a su exitoso trabajo en Ecuador, ya tenía en la mira su próximo destino, según el relato de Fernando Díaz: «Todas las semanas grababa los partidos de la liga argentina y siempre me comentaba que había visto jugar a River Plate, a Boca Juniors, etcétera. Estaba muy interiorizado del medio argentino, se sabía todos los jugadores y cómo jugaban los equipos. Claramente tenía muy claro adónde quería llegar cuando finalizara la etapa en Ecuador».

El Ingeniero

El 13 de febrero de 2001, siete meses después de desvincularse de la Liga de Quito por desavenencias con la directiva, la prensa deportiva argentina informaba de la llegada del chileno Manuel Pellegrini como nuevo técnico de San Lorenzo de Almagro, un club de gran tradición en el fútbol trasandino.

El cuadro del barrio de Boedo (zona donde se encuentra el Nuevo Gasómetro, el estadio de la institución) comenzaba el Torneo de Clausura de aquel año con el interino Víctor Hugo Doria como entrenador, tras la salida de Oscar Ruggieri, un histórico de la institución.

Apremiado por el comienzo del campeonato, el presidente Fernando Miele salió en busca de algún DT disponible en el mercado. El dirigente investigó, preguntó y tras una rueda de llamados escuchó dos veces el nombre del chileno. Los responsables de las recomendaciones eran Néstor Gorosito y Alberto Acosta, ex dirigidos del DT en Universidad Católica y referentes históricos de San Lorenzo.

El mediocampista afirma que tenía absoluta confianza en las capacidades de su ex entrenador: «Yo no tenía ninguna duda de que le iba a ir bien. Le decía a Miele: "No lo dudes, es el mejor técnico que tuve". Estaba completamente convencido de que le iba a ir espectacular. Por eso a mí no me sorprendió el éxito que alcanzó, tenía bastante claro que le iba a ir bien».

Fernando Miele fue quince años presidente del club (1986-2001). Su palmarés muestra tres títulos (dos de ellos con Pellegrini en la banca), sin embargo, salió de su cargo en medio de polémicas que lo han mantenido por años alejado de los medios y las entrevistas. Instalado en Buenos Aires, decidió hacer un paréntesis en su ostracismo, tal como el ex presidente de River Plate, José María Aguilar (ver capítulo 3: Hablemos de fútbol), para relatar de su experiencia con Pellegrini: «Traerlo fue una tremenda apuesta. El medio no lo conocía y fue muy crítico conmigo por contratarlo.

»El Beto [Acosta] y el Pipo [Gorosito] me aseguraron que era un muy buen técnico, trabajador y armador de planteles. Fue una ruleta rusa, una moneda al aire. Pero como no lo conocían, la prensa lo criticó de entrada y cuando se enteraron de que era ingeniero de profesión, comenzaron a reírse asegurando que el ingeniero chileno venía a terminar los codos del Nuevo Gasómetro [las tribunas diagonales del estadio de San Lorenzo recién se construyeron el año 2007].»

Ernesto Cherqui, periodista de larga trayectoria, recuerda cómo asumió la llegada del chileno la prensa deportiva argentina: «Yo fui de los que me reí irónicamente de la contratación de Pellegrini con el tema del ingeniero y los codos del estadio. Hay que entender que en esa época las tecnologías no permitían un conocimiento tan acabado del mundo del fútbol como ahora. Acá no había antecedentes de entrenadores chilenos, por lo que veíamos con sospechoso desconocimiento el palmarés de ese hombre que habría de convertirse en uno de los paradigmas del fútbol en la Argentina, fundamentalmente como un espejo. Es decir, cuando uno habla de conducta deportiva, personal y social que le gustaría que un técnico transmitiera pública, privada, mediática o socialmente, Pellegrini no puede faltar de la memoria de ninguno. Si a eso le sumas el rendimiento superlativo que tuvo su equipo en la cancha, no hay más que reconocer que estábamos muy equivocados y pecamos de ignorantes».

La ironía de los codos del estadio, que nació como un aspecto negativo para criticar la llegada del entrenador, significó el nacimiento «oficial» del apodo de «Ingeniero» para el DT. Desde ahí, hasta el día de hoy, se trasformó en el sobrenombre con que se le conoce mundialmente.

Desconocido para el medio, pero con la recomendación de referentes como Acosta y Gorosito, Pellegrini dirigió su primera práctica oficial el 13 de febrero y se ganó rápidamente la confianza del plantel con su método de trabajo. El goleador Bernardo Romeo recuerda: «Llegó con su idea de los entrenamientos absolutamente enfocados en trabajos con el balón —incluso los físicos—, hablándonos de la necesidad de jugar bien, dando espectáculo y pensando siempre en el arco rival. Ya en la primera charla nos sorprendió con su presencia, su liderazgo y la forma de hablarnos. Rápidamente se ganó el respeto de todos, porque vimos que era una persona muy preparada y segura de sí misma, jamás dudó, ni siquiera cuando los resultados no se dieron en un comienzo».

La tormenta perfecta

Pellegrini debutó en la tercera fecha del Torneo de Clausura perdiendo 2-0 ante Racing de Avellaneda. Luego venció a Belgrano, cayó ante Almagro, empató ante Huracán y llegó a la sexta jornada recibiendo una avalancha de críticas mediáticas.

La situación se iba complicando y las dudas del medio sobre la capacidad del chileno se hacían patentes. Cuestionamientos que en todo caso no permeaban las convicciones del técnico, según el recuerdo del volante Pablo Michelini: «No teníamos dudas. Pese a que tuvimos un irregular comienzo de torneo, entre los jugadores comentábamos que el trabajo que se estaba haciendo en la semana y los conceptos que nos daba los íbamos asimilando. Además, se veía muy seguro, convencido. Decía que era cosa de tiempo para empezar a ganar».

El 15 de marzo de 2001 San Lorenzo visitaba la cancha de Lanús. El equipo venía golpeado por las críticas y la torrencial lluvia de esa noche en Buenos Aires presagiaba que el oscuro escenario no se revertiría.

El clima y el barro de potrero en que estaba convertida la cancha le dieron un tinte emotivo a un partido en que pasó de todo. San Lorenzo estuvo en ventaja tres veces, demostrando una mejora importante en su funcionamiento ofensivo, pero los problemas se mantenían en la zaga y Lanús logró empatarlo 4-4 a pocos minutos del final. Otra vez Pellegrini dejaba escapar puntos importantes y llegarían nuevas críticas, pero cuando se jugaban los descuentos, el agónico gol del capitán, Horacio Ameli, le dio el triunfo al equipo del chileno quien, empapado, celebró como si se tratara de un tanto que valía un campeonato.

La prensa tituló con «La tormenta perfecta de San Lorenzo», y ese duelo se transformó en una bisagra anímica para un plantel que inició el repunte. Porque a pesar de la dolorosa derrota, a la fecha siguiente ante River Plate en el Nuevo Gasómetro, Pellegrini y sus dirigidos comprobaron en la cancha de Lanús que había madera para luchar por cosas importantes.

El primero de abril de aquel año, en el marco de la novena fecha del Clausura, San Lorenzo derrotó 2-0 a Vélez Sarsfield en calidad de visitante. Fue el inicio de una racha imparable que mantuvo al equipo invicto durante once partidos consecutivos, consagrándose campeón en la última jornada tras vencer a Unión de Santa Fe por 2-1.

Esa tarde del 10 de junio de 2001, el Nuevo Gasómetro estaba repleto. En la tribuna, los padres, la esposa y los hijos de Pellegrini veían cómo los codos del recinto seguían sin levantarse, pero eso no importaba, porque el Ingeniero había construido otra obra, una deportiva y sólida que lo tenía a un paso de celebrar su segundo título en el extranjero.

Un triunfo con un brillo aun más llamativo que el conseguido en Ecuador, debido a la resonancia internacional de un medio tan competitivo como el argentino.

Los goles de Romeo y Lucas Pusineri provocaron el delirio de la parcialidad boeda. La hinchada invadió el campo y, tras celebrar con el público, Pellegrini y el plantel se refugiaron en el vestuario.

Luego de un par de minutos, y en una medida inédita en su carrera, el técnico abrió las puertas del camarín a los periodistas que habíamos llegado a Buenos Aires para presenciar su primer título en Argentina. Adentro toda era fiesta, con los jugadores cantando y saltando al ritmo de: «¡Vení! ¡Vení! ¡Cantá conmigo! [...] ¡que de la mano de Pellegrini, todos la vuelta vamos a dar!», entonaban los futbolistas bajo la batuta del «Loco» Sebastián Abreu, mientras en una esquina, enfundado en el buzo de San

Lorenzo, el Ingeniero declaraba: «Esto es lo más parecido al cielo en felicidad y alegría, porque el grupo se abocó a un trabajo constante y permanente, con horas y horas de cancha y una demostración de entrega y humildad que nos permitió sacar todo esto adelante».

Mientras lo entrevistábamos, Abreu y compañía interrumpieron el diálogo con el técnico para darle un baño de champaña. Tal como había ocurrido meses antes en aquella tormenta perfecta en la cancha de Lanús, Pellegrini celebraba empapado, pero esta vez no por la lluvia y el temporal, sino que empapado de gloria.

Acorralados

Tras la obtención del título y con el reconocimiento del medio por la notable campaña (con el récord de 47 puntos en un torneo corto), Pellegrini viajó junto a su plantel a Estados Unidos para realizar una pretemporada.

Argentina vivía una severa crisis institucional y económica bajo la administración del presidente Fernando de la Rúa, y el fútbol no estaba ajeno a esos problemas, por lo que los clubes buscaron diversas fórmulas para levantar recursos. Instituciones como Boca Juniors, River Plate y San Lorenzo comenzaron a aceptar invitaciones de Norte y Centroamérica para jugar amistosos y realizar pretemporadas a cambio de dinero.

Ahogado por la falta de caja, y cuando se aprestaba a viajar a Miami para entrenar durante dos semanas, el plantel de Boedo entró en conflicto con la dirigencia debido al atraso en los pagos de los sueldos y los premios pactados por la obtención del título del Clausura. Al final, el plantel viajó, pero la relación con el presidente Fernando Miele quedó muy fracturada y, según Pablo Michelini, solo la gestión del entrenador permitió que el equipo continuara enfocado en la pretemporada: «La situación estaba muy difícil. No queríamos viajar hasta que se nos pagara lo que se nos debía, pero Pellegrini habló con nosotros y nos explicó que la única forma de sacar adelante la situación era seguir siendo profesionales. Que si cumplíamos con nuestra parte en la cancha no habría excusas para que no nos respondieran. Nos decía que teníamos dos posibilidades: o pelearnos con los dirigentes o pelear por lo nuestro en el campo de juego».

Según Fernando Miele, Pellegrini era un técnico de actitud «sindicalista», siempre se ponía al lado de los jugadores: «Para nosotros como dirigentes era complicado afrontar el tema, ya que no solo antes del viaje a Miami sufrimos las amenazas: durante el torneo local hubo un par de partidos en que los líderes del equipo también presionaron con el tema de no concentrar o la posibilidad de una huelga. Ahí Pellegrini adoptó una posición medio sindicalista a mi juicio. Ellos no entendían que la situación económica en Argentina era nefasta y eso obviamente nos afectaba a nosotros también».

La necesidad de efectivo determinó la venta de algunas figuras importantes del plantel que habían conseguido el título y la llegada de futbolistas de menor costo, entre ellos el Beto Acosta, quien se reencontraba en el Nuevo Gasómetro con el club de sus amores y con su ex entrenador en Chile: «Yo venía de dos temporadas en el Sporting de Lisboa, en Portugal, y llegué a un equipo que estaba armado. Manuel, como siempre, me habló directo y me explicó que él ya tenía sus delanteros titulares y que me tocaría comenzar en la banca, pero me aseguró que tendría mis chances y que me consideraba muy importante por mi experiencia y capacidad goleadora».

Efectivamente, Acosta se transformó en un factor importante en ese segundo semestre de 2001, período en el que Pellegrini enfocó todos los esfuerzos en la Copa Mercosur. El club jamás había obtenido un título internacional, por lo que la buena campaña del equipo en el certamen fue entusiasmando al plantel, a pesar de la crítica situación económica que mantenían.

Michelini afirma que el DT apeló al hambre deportiva para mantener enfocado al plantel: «Reconocía que había muchísimos problemas, pero como veía que le respondíamos y que íbamos avanzando en la Mercosur, logró mantenernos con la concentración a tope. Además, tenía un gran manejo para resolver los problemas y la virtud de convencer tanto a los más chicos del plantel como a los que éramos más experimentados».

Enfocado en el rendimiento deportivo y con la capacidad de mantener el equilibrio del camarín en medio de la crisis directiva, Pellegrini fue el primero en dejar de cobrar su sueldo mientras no se pagara lo adeudado a los jugadores. En paralelo, el equipo iba avanzando sólidamente en la Mercosur, eliminando a los paraguayos de Cerro Porteño en la ronda de cuartos de final y al poderoso Corinthians brasileño en semifinales. En medio de las dificultades financieras, el Ingeniero había logrado mantener la competitividad de su equipo y se aprestaba a definir la primera copa internacional de San Lorenzo en la final ante Flamengo.

El duelo de ida se jugó el 12 de diciembre en el mítico estadio Maracaná de Río de Janeiro. Fue un partido trabado, sin muchas oportunidades de gol para el equipo del chileno, que presentó un ataque liderado por su goleador Bernardo Romeo y por el argentino-mexicano Guillermo Franco, delantero que se reencontraría con Pellegrini en el Villarreal de España.

El 0-0 conseguido en Brasil le entregaba a San Lorenzo la primera opción para la revancha del 20 de diciembre en el Nuevo Gasómetro. Sin embargo, ese partido no se pudo jugar. La grave crisis argentina desencadenó severos incidentes en Buenos Aires y la autoridad debió suspender la definición ante Flamengo.

El duelo se reprogramó para el 24 de enero de 2002. A esa altura, Romeo ya había sido transferido al Hamburgo alemán y el veterano Alberto Acosta ocupaba su lugar en la ofensiva.

Tal como había transcurrido todo el segundo semestre del año 2001, el duelo ante los cariocas fue de un sufrimiento permanente para el equipo del chileno. Flamengo se puso rápidamente en ventaja, a los diez minutos, con un tanto de Machado y solo a veinte del final, el local consiguió la igualdad por intermedio de Raúl Estévez. Hubo que definir a través de lanzamientos penales, y solo con el último disparo, a cargo de Diego Capria, San Lorenzo consiguió el primer título internacional de su historia de la mano de Manuel Pellegrini.

Era el cierre de una temporada espectacular para el chileno, quien logró sobreponerse a las críticas iniciales del medio argentino y a los problemas económicos de su club, ganándose un lugar importante en la historia de la institución y el reconocimiento de los mismos que lo habían criticado a su llegada a Buenos Aires. Así lo explica Ernesto Cherqui: «Él aguantó en San Lorenzo cosas muy difíciles, en época de crisis absoluta en el país. Un técnico que no cobra es en general un DT que abandona el barco, pero él no solo es campeón porque su equipo fue el mejor, sino que además Pellegrini supo ser campeón con San Lorenzo porque aguantó por los jugadores, por el plantel y por ser consecuente con su propio discurso. Resistió más allá de lo que suelen soportar los técnicos en ese tipo de situaciones. El tipo siguió para adelante y salió campeón en Argentina y la Mercosur. Si la historia hubiera sido diferente en aquellos años de crisis, a lo mejor no habría tenido razón para abandonar San Lorenzo después».

A los cuarenta y siete años de edad y tras trece de trayectoria, el DT alcanzaba en San Lorenzo los logros más importantes de su carrera hasta ese momento, demostrándole al mundo futbolístico que la etapa de construcción personal y profesional estaba consolidada. Llegaba el momento de dar el salto definitivo a desafíos de máxima exigencia competitiva.

CAPÍTULO 6

Factor humano

EL GRUPO

En cualquier actividad que implique la búsqueda de resultados a través del trabajo en equipo, el gran desafío para un líder es saber gestionar armoniosamente las cualidades, defectos, personalidades y motivaciones de cada uno de los integrantes de su grupo.

En el fútbol, la gestión de los egos y la administración de las oportunidades son una obligación para el técnico, quien es el responsable del éxito o fracaso de un proyecto deportivo. El entrenador debe tener la capacidad de mantener unido a su camarín si quiere conseguir los objetivos autoimpuestos, una misión compleja si se piensa en la diversidad de estados de ánimo y formas de ser de cada jugador.

No basta con la táctica futbolística, hay que usar también la pizarra de la psicología para manejar un plantel. Sobre todo con aquellos que tienen menos protagonismo y se quedan sentados en la banca o en la tribuna viendo a sus compañeros jugar, abrazarse y aparecer en los medios.

La frase «hay que mantener contentos a los que no juegan» alude a uno de los desafíos más complejos para un entrenador: mantener la armonía en el camarín entre aquellos que gozan de un rol protagónico y los que tienen un lugar secundario dentro del plantel.

En el método de trabajo de Pellegrini ese concepto es permanentemente destacado por sus dirigidos y aparece como una de las principales virtudes del entrenador, según el ex River Plate Claudio Husaín: «Él es un hombre muy inteligente y muy preocupado no solo de los once titulares, sino de todo el grupo. Está atento a muchos detalles, se preocupa de motivar a todo el plantel constantemente. Cuando llegaba el día de convocar a dieciocho o veinte para un partido, había diez o quince que se quedaban fuera. Esa es una situación jodida, fea, pero él sabía cómo rearmar el grupo: todos los lunes, después de los partidos, era muy detallista con aquellos que no habían entrado en la citación. Se preocupaba especialmente de ellos, los hacía sentir importantes y generaba una competencia interna en la que cada semana todos partíamos de cero. Eso era muy inteligente para mantener la estabilidad del grupo».

Los conceptos del Turco son confirmados por Patricio Toledo, arquero de Universidad Católica en las temporadas 1994-1995 con el Ingeniero en la banca: «Una de las cosa buenas que tiene es el manejo de camarín. Conversa mucho con los jugadores, se da cuenta de los pequeños detalles que a uno le van pasando dentro del entrenamiento, dentro del día. Notaba muy bien cuando alguien llegaba con algún tipo de problema o alguna inquietud; se acercaba a conversar, te tocaba la espalda y lograba que uno se abriera a la conversación. Esa forma de ser la tenía con todo el plantel, no solamente con los titulares o los más importantes del camarín».

Xabi Alonso, actualmente jugador del Bayern Munich, llegó desde el Liverpool de Inglaterra al Real Madrid junto al chileno en junio de 2009. Solo alcanzó a estar una temporada bajo sus órdenes, debido a la salida del DT once meses después, pero en ese período le tomó la mano a su estilo: «Es de conversar mucho con todo el grupo. Los trata a todos por igual. Se preocupa de mantener la motivación en aquellos que juegan menos y logra, a través del diálogo, convencerte de sus ideas».

El italiano Fabio Capello, técnico de referencia para Pellegrini en sus años de formación como entrenador, afirmó alguna vez que los jugadores «tienen el problema de pensar solo en ellos mismos. Nunca en el grupo». El Ingeniero dice estar totalmente de acuerdo con el ex técnico del Milan: «Yo era igual cuando jugaba, por eso lo digo. Cuesta muchísimo hacer entender al futbolista que lo importante es el objetivo común, porque sienten que ellos son lo primero, lo segundo y lo tercero. Siempre prevalece el yo antes que el nosotros, que es lo importante».

La dificultad que reconoce Pellegrini se eleva a la máxima potencia cuando el plantel dirigido es numeroso y con jugadores de máximo nivel. Sus experiencias en River Plate —en menor medida—, Real Madrid y Manchester City han sido los ejemplos más claros. Dificultad que el DT reconoció en una entrevista al diario *El País*: «Es una de las tareas más difíciles. Un equipo competitivo debe tener a dos jugadores por puesto que luchen entre ellos, que den variantes y no sean iguales, pero que sean importantes, internacionales, seguramente, y con buenos contratos, que sepan que el objetivo es ser campeón.

»Es ahí donde uno trata de hacerles entender que pueden jugar o no los 38 partidos y que si no son campeones, no son los mejores. Yo siempre les pido lo mismo: respeto a las decisiones, compromiso en el proyecto y rendimiento individual como jugador. Si te sales de eso es difícil ganar un título».

Al profundizar en esas ideas, surge automática la pregunta:

—¿Y cómo se les convence?

—Todas las actitudes de los jugadores son parte de la persona que son, de su forma de ser particular. Por eso es muy importante ir conociendo las personalidades de cada uno y ver cómo vas a llegar a ellos. De acuerdo a esa personalidad, lo voy a tratar de determinada forma para conseguir lo que quiero.

—Ahí hay un trabajo de psicología. ¿Considera útiles a los psicólogos en el fútbol?

—Son muy importantes, pero no creo que un camarín de fútbol lo pueda manejar un psicólogo. Si tú como técnico no tienes la capacidad de llegar al jugador, no vas a tener influencia en la toma de decisiones. Obviamente, si alguien tiene un problema personal hay que derivarlo a un especialista, con eso no tengo problemas, lo acepto y entiendo. Pero si le entrego mi equipo a un psicólogo para que maneje la fortaleza mental, significa que no estoy llegando al jugador.

CAMPO MINADO

Respeto, compromiso y rendimiento, las tres palabras claves en el «decálogo» de Pellegrini al momento de presentarse en un camarín. Aunque se trate de un cuadro pequeño o un club con dimensiones planetarias, el técnico ha utilizado el mismo estilo para ganarse desde el comienzo el respeto de sus nuevos dirigidos.

Sin duda la llegada al vestuario del estadio Santiago Bernabéu constituyó el desafío más importante para el DT chileno en su carrera. El viernes 10 de julio de 2009, Cristiano Ronaldo, Raúl González, Kaká, Iker Casillas, Ruud van Nistelrooy, Arjen Robben, «Pepe», Sergio Ramos y una constelación de estrellas del fútbol mundial vieron entrar al nuevo técnico madridista. Fue el contacto inicial del chileno para dirigir su primera práctica en el club merengue.

Pellegrini llegaba con el cartel de entrenador serio, con una gran campaña en un equipo pequeño como el Villarreal y el prestigio que le otorgaban sus títulos en Argentina con San Lorenzo y River Plate. Antecedentes importantes que demostraban capacidad, pero insuficientes para impactar a un plantel acostumbrado a estrategas de un primerísimo nivel internacional, con pasado en equipos equivalentes al Real Madrid, formados en la propia institución o con galones importantes gracias a sus trayectorias como futbolistas de nivel mundial.

A diferencia de lo que experimentó cuando fue contratado por el Manchester City, en Madrid debutaba en el «Olimpo competitivo». ¿Cómo asumir ese desafío? El chileno reconoce que aquel camarín era una coyuntura distinta a las que había experimentado con anterioridad, pero no por eso iba a modificar su estilo: «Debía transmitirle al jugador la seguridad que yo tenía de por qué estaba ahí. ¿Cómo lo viví? Con el convencimiento de que el plantel se diera cuenta día a día de que llegar a esa realidad no me afectaba. La idea en un equipo con tantas figuras es transmitir esa seguridad, a pesar del resultado.

»Era importante en un club tan grande —porque no hay ninguno que trascienda como el Real Madrid— que el jugador captara la preparación que tú tienes y que no estabas intimidado por el tamaño de esa institución.»

El día a día a que se refiere Pellegrini es el trabajo en cancha, el entrenamiento, la rutina de cada jornada. Ahí, el entrenador se juega la capacidad de involucrar a sus jugadores, un concepto que el campeón del mundo, Vicente del Bosque, sintetiza certeramente en el libro *Palabra de entrenador* de Orfeo Suárez, editor deportivo del diario español *El Mundo*: «Nuestro deber como entrenadores es emocionar al jugador con el contenido del entrenamiento, que tiene que ser dinámico y específico, lo más real posible, con transferencia a lo que ocurrirá en el partido. Cuando se habla de trabajo, en cualquier ámbito, rara vez se relaciona con la emoción. Para el entrenador, sin embargo, la pasión es el motor de todo».

En su aterrizaje en Madrid, el Ingeniero implementó el mismo estilo de entrenamientos que durante dos décadas fue perfeccionando. Un formato en el que la pelota siempre es protagonista, incluso en las fases de trabajos físicos: «No saco nada con hacer correr a un jugador sin el balón, porque la velocidad y el rendimiento que puede mostrar sin la pelota muchas veces no tiene nada que ver con lo que es capaz de hacer con ella en los pies».

Ya en sus inicios en Chile, en la década de los noventa, cuando el acondicionamiento físico de los planteles se realizaba en paralelo y no en conjunto a los ejercicios futbolísticos, Pellegrini innovó con su metodología, comenzando a poner en práctica los conocimientos adquiridos en sus viajes a Italia e Inglaterra para perfeccionarse en los cursos de técnico en Coverciano y Lilleshall.

Mario Lepe, ex capitán de Universidad Católica, conoció como jugador la dinámica de trabajo en cancha del Ingeniero: «Tenía una metodología de entrenamiento extraordinaria. Uno salía del camarín y la cancha parecía un campo minado: llena de conos, elásticos y una serie de implementos que le servían para dividir la práctica en distintas estaciones de trabajo. Todo era con balón, jamás se repetían los ejercicios y estos eran de máxima exigencia de concentración para el jugador. Era imposible aburrirse».

Néstor Gorosito, volante de Pellegrini en la UC, complementa: «Cada lunes uno llegaba al camarín y él tenía pegadas en la pared planillas con todo el detalle de los trabajos de la semana. El plantel se enteraba de lo que iba a hacer con días de antelación y eso el jugador siempre lo agradece. Lo mejor es que no solo tenía la programación de la semana, sino que en sus carpetas ya había escrito los trabajos para todo el semestre, día por día, ejercicio por ejercicio. Su estilo de planificación no tenía nada que ver con lo que se usaba en esa época, estaba a otro nivel».

Pellegrini reclutó a su ex compañero, Héctor Pinto, como ayudante técnico en Universidad Católica. El Negro cuenta que el estilo de Pellegrini despertaba el interés de varios integrantes del plantel: «Junto a varios jugadores que mostraban vocación por la parte técnica, le pedíamos las hojas en las que tenía los dibujos y el detalle de todos los ejercicios. Nosotros les sacábamos fotocopias y hasta hoy las tengo guardadas; me fueron muy útiles en mi carrera [Héctor Pinto sería campeón al mando de Universidad de Chile en el Torneo de Apertura 2004]».

Luego del paso por la UC y su segunda etapa en Palestino (1998), el Ingeniero mantuvo su esquema de entrenamiento en sus primeras aventuras en el extranjero.

En la Liga Deportiva Universitaria de Quito, el plantel de futbolistas también se sorprendió con el estilo del chileno, tal como relata Ezequiel Maggiolo, atacante del equipo que conquistó el título ecuatoriano con Pellegrini en 1999: «Yo resalto mucho, porque era muy novedoso quince años atrás, cómo Pellegrini trataba siempre de meter la pelota en todos los trabajos físicos. Era todo basado en el juego, en la intención de un partido. Eso me sorprendió mucho porque lo habitual en esa época eran dos o tres días con un preparador físico. Lunes y martes el entrenador se veía por otros lados y solo compartías con el preparador físico, corrías y no tocabas el balón. Eso fue muy bueno y hoy en día casi todos lo hacen, es lo que se busca».

Tras Quito vino el desembarco en Buenos Aires para dirigir a San Lorenzo y River Plate. El argentino era un medio mucho más desarrollado que el chileno y el ecuatoriano, sin embargo, el sistema de trabajo de Pellegrini también significó una novedad para futbolistas que estaban habituados a la alta exigencia y gran competitividad, pero no a la presencia permanente del balón.

Eso relata Sebastián Abreu, atacante uruguayo del San Lorenzo campeón del Torneo de Clausura 2001; todo un personaje en el mundo del fútbol por su dilatada trayectoria y extrovertida personalidad: «Hacía todo un trabajo físico con el balón, muy profesional. Buscaba encontrar la efectividad, construir lo que se quería desarrollar en el campo de juego después. Mucho trabajo de espacios reducidos, todo tenía un objetivo claro, anticipándose a lo que podía suceder en los partidos. La verdad es que ese estilo, hasta el día de hoy, no lo experimenté con ningún otro entrenador».

Diversos testimonios de distintos futbolistas y en diferentes etapas de su trayectoria afirmaban que Pellegrini se ganaba de entrada al camarín gracias su método de trabajo semanal: el «día a día» de los entrenamientos. La rutina que genera hábitos en el jugador y respeto hacia el técnico.

Un estilo que le permitió al chileno llegar hasta la cima del fútbol internacional. Una manera de trabajar que, según Raúl González, una de las máximas figuras que el Ingeniero dirigió en su carrera, se resumía en una frase muy simple pero contundente: «Cuando tuve a Pellegrini en el Real Madrid, tenía ganas de levantarme e ir a entrenar porque su estilo era muy motivante, siempre trabajando con la pelota. Uno se divertía con sus prácticas».

La paradoja de Raúl

«Raúl», Raúl González, el «Ángel de Madrid», no tiene problemas para charlar sobre el técnico que lo relegó al banco de suplentes madridista por primera vez en su larga trayectoria con la camiseta merengue.

El atacante viste bermudas y camiseta deportiva bajo los 35 grados que azotan Long Island, a 45 minutos de Nueva York. Con treinta y ocho años y tras 22 temporadas como futbolista, el español vive su última etapa profesional —al igual que Marcos Senna— en el Cosmos de Estados Unidos, mítico club donde se retiró Pelé en 1977.

El Mitchel Field Athletic Complex, campo de entrenamiento del Cosmos, tiene una infraestructura muy sencilla, a años luz de la que Raúl disfrutó en el Real Madrid (1994-2010), el Schalke 04 alemán (2010-2012) y Al-Sadd de Qatar (2012-2014): «Acá busco una experiencia de enriquecimiento personal. Vivo en Manhattan junto a mi familia, mis hijos van a la escuela en Nueva York y después de lo que aprendimos en Alemania y Qatar esto es otra experiencia muy gratificante».

Ese es Raúl, siempre con un nivel de preparación y manejo superior a la media del futbolista. Con un estilo y educación equivalentes a la calidad que regaló en la cancha del Santiago Bernabéu (928 partidos y 399 goles con el Real Madrid). «Una leyenda viviente del Madrid», para Jorge Valdano. Para Pellegrini: «Un jugador muy inteligente, uno de los más serios y profesionales que dirigí. Raúl era el Real Madrid mismo. Todo lo que ese club significa lo refleja Raúl».

No fue sencilla la situación que debió gestionar con el atacante en su llegada al club. En 2009, el Ángel de Madrid seguía siendo ídolo, manteniendo su influencia y peso en la interna del club, pero debido a su veteranía y a los millones invertidos por Florentino Pérez en la contratación de jugadores en ofensiva (Cristiano Ronaldo, Karim Benzema y Kaká, más la presencia de Van Nistelrooy, Gonzalo Higuaín y Álvaro Negredo), se hacía muy complicada su opción de titularidad en los planes de Pellegrini.

Miguel Pardeza, director deportivo del club en la temporada 2009-2010, rememora en su despacho en Madrid la coyuntura que tuvo que gestionar el técnico: «Manejó bastante bien esa situación. Raúl era historia y seguía siendo leyenda, el futbolista más importante que ha dado el Real Madrid. No era fácil, pero sabía que esto no era eterno y que tarde o temprano llegaría la hora en que tendría que mirar para otro lado. Pellegrini no se paró de manera confrontacional ante la delicada situación, tuvo el tino de darle cierta jerarquía al jugador, con bastante presencia en los partidos, aunque viniera desde el banco, y con la claridad para hablarle de frente».

Raúl reconoce esa claridad cuando se le invita a evaluar cómo le comunicó el técnico la determinación de relegarlo al banco de suplentes: «Hablamos directamente el tema. Él me afirmó que yo era un jugador importante para el equipo, pero que iban a ser otros los que empezarían jugando. Para mí era muy duro, pero agradecía que fuera directo conmigo y entendía que entrenando a full iba a ser capaz de pelear una camiseta. Eso fue lo que hice: entrenar duro para esperar que llegara mi oportunidad».

Jorge Valdano, director general del club durante esa temporada, observó desde una ubicación privilegiada el manejo del chileno con el ídolo: «Hizo un gran esfuerzo para administrar el final de la carrera de Raúl con respeto. Yo ahí me puse en su lugar, ya que cuando vine como entrenador al Real (1994-1996) me tocó asumir el final de «La Quinta del Buitre» (grupo de emblemáticos jugadores del Real Madrid, encabezado por Emilio

Butragueño). Es un trabajo difícil y él lo hizo con la mayor sensibilidad posible, dentro de un terreno dinamitado, porque ese territorio es muy complicado de gestionar».

—Raúl, usted habla bien de Pellegrini, pero fue el técnico que lo terminó sacando del club de toda su vida…

Raúl se ríe antes de contestar la pregunta. Sabe que los buenos recuerdos que tiene del DT son contradictorios si se evalúan en paralelo a la situación deportiva que vivió. Pero no se complica y parece responder con la tranquilidad que da no tener cuentas pendientes con el técnico:

«Tengo un gran recuerdo de él a pesar de que es el entrenador con el que menos jugué. Es extraño, paradójico, pero es la verdad. Creo que era un técnico que lograba mejorar a sus jugadores, incluso en planteles de primer orden como el del Real Madrid. La gente cree que un jugador por ser bueno va a jugar siempre igual, pero no, ahí está la capacidad de los grandes DT para sacar algo más, y la forma de trabajo que tenía Manuel me hace pensar que es uno de los mejores que tuve en mi carrera.

»Fue una pena que no tuviera más tiempo en el Real Madrid, porque el trabajo que realizó y lo que había hecho antes en el Villarreal fueron una demostración de toda su capacidad. No se dio la opción de ganar algo, ya que ese año el Barcelona estaba en un nivel extraordinario, mejor que nosotros.»

—Su ex compañero Iker Casillas, otro ídolo del madridismo, tuvo una salida traumática del club este 2015 tras dos años de muchos cuestionamientos a partir del trato que le dio José Mourinho. ¿Cree que ese ejemplo le da valor a la gestión que tuvo Pellegrini con su situación?

—Hubo mucha franqueza entre ambos, cada cual luchó por sus intereses. Yo estaba dolido porque quería jugar, pero seguí entrenando sabiendo que el técnico lo que quería era lo mejor para el equipo también. Nunca tuvimos un enfrentamiento o una discusión, todo fue muy profesional y eso lo agradezco hasta el día de hoy.

—Y más allá de esa franqueza de Pellegrini, ¿qué destacaría de él como técnico?

—Él es un muy buen entrenador. Tiene una forma de comunicar muy directa, con un estilo de ver el fútbol que intenta transmitirlo de manera sencilla a sus jugadores. Esa tranquilidad y calma que tiene para expresarse generaba una muy buena comunicación con el plantel. Esa forma de ser le gusta a la gran mayoría de los futbolistas, en especial en los momentos difíciles. Él tiene la capacidad de transmitir tranquilidad en las situaciones de mayor presión, convenciéndote de que con tus argumentos y capacidad podrás salir adelante. Además, sus equipos me gustan porque tratan bien la pelota. Intentan jugar con un gusto por el fútbol ofensivo, ubicándose siempre en el campo contrario y buscando llevar la iniciativa desde el primer momento.

Cracks

A principios de 2010, el Real Madrid de Manuel Pellegrini luchaba palmo a palmo la punta de la liga española con el Barcelona de Josep Guardiola. En el plantel del chileno, Cristiano Ronaldo («CR7») recién se reintegraba a los entrenamientos tras una baja de doce partidos, debido a una lesión en su tobillo derecho; sin embargo, el portugués ya marcaba diferencias con su calidad e influencia en el equipo.

Sin lugar a dudas, y tras los ciento veinte millones de euros que Florentino Pérez pagó al Manchester United por el pase del portugués, CR7 era la máxima estrella del camarín merengue; un jugador «intergaláctico» en términos de popularidad, calidad y capacidad goleadora. Hasta ese minuto, por lejos, el futbolista más importante que le había tocado dirigir al chileno en su carrera.

Ante tamaño cartel, la lógica indicaría que el manejo de Cristiano en la interna del camarín debe haber constituido un desafío supremo para el técnico o una lucha constante por imponer la autoridad del entrenador sobre el futbolista. Sin embargo, según el relato de Pellegrini: «Cristiano ejemplifica una de las máximas del fútbol: cuando la estrella de tu equipo es el primero en llegar a entrenar y el último en irse, la mitad del trabajo del líder del grupo está hecho. Y eso pasaba con Cristiano».

Y para explicar su admiración por el profesionalismo del tres veces ganador del «Balón de Oro», Pellegrini relata una anécdota: «En una oportunidad teníamos el entrenamiento programado para las siete de la tarde. Algo ocurrió que hubo que modificar la hora y lo cambié para las seis. Le pedí a la gerencia del club que llamara a los jugadores para avisarles y a Cristiano no lo ubicaron, pero sí a Pepe, que por ser portugués es muy cercano. Pepe quedó de avisarle, pero se le olvidó.

»Con el plantel teníamos instaurado un sistema de multas para los que llegaran atrasados. Ronaldo era tremendamente profesional, así que no solo nunca había sido multado, sino que además acostumbraba a llegar una hora antes del inicio del entrenamiento. Ese día volvió a llegar una hora antes, pero como no lo habían advertido del cambio, apareció en el camarín a las seis de la tarde, es decir, justo cuando estaba comenzando el entrenamiento en el nuevo horario.

»Como correspondía, lo multé y se volvió loco, y no por la multa que era menor, sino porque no soportaba la sensación de haber llegado tarde, eso no entraba en su cabeza, en su manera de enfrentar la profesión. Por lejos, y junto a Raúl en ese mismo plantel, Cristiano es uno de los jugadores más profesionales que dirigí. Su autoexigencia es brutal, con una dedicación absoluta y una competitividad a toda prueba.»

Según Jorge Valdano, el técnico chileno logró fluidamente compenetrarse con un grupo de jugadores del máximo nivel en Chamartín: «No tuvo problemas para adaptarse al camarín del Madrid. Demostró mucha preparación y desde un principio se ganó el respeto del grupo. En esa temporada [2009-2010], yo, que era el director general del club, jamás recibí una queja de algún jugador, todo lo contario: solo buenos comentarios, incluso en aquellos futbolistas que no tenían continuidad o estaban pasando una situación personal difícil».

En ese último grupo de jugadores se encontraba otra estrella del equipo: el mediocampista José María Gutiérrez, «Guti». Formado en la cantera merengue y dueño de un talento superlativo, el año que llegó Pellegrini a Madrid, Guti completaba su decimoquinta temporada en la institución con más de quinientos partidos disputados en el club.

Futbolista carismático, con recurrente presencia en las páginas del «periodismo rosa» y una relación de permanente amor-odio con la prensa deportiva, el volante protagonizó una irregular temporada con Pellegrini en la banca, irregularidad que le terminó costando la salida del club al término del curso 2009-2010 (fue transferido al Beşiktaş de Turquía).

Varias lesiones y algunos problemas personales fueron mermando la competitividad de Guti, quien fue relegado al banco de suplentes por el Ingeniero. Una determinación complicada que se sumaba a la situación de Raúl, el otro ídolo del club.

Diego Torres, periodista a cargo de la cobertura del Real Madrid en el diario *El País* de España, recuerda: «Fui muy crítico con Pellegrini por la suplencia de Guti. No entendía por qué le daba tantas chances a un jugador más limitado, como Lass Diarra, en desmedro del talento y carácter de alguien como Guti. Varias veces escribí artículos cuestionando la decisión de Pellegrini y fui reiterativo en esos cuestionamientos durante las ruedas de prensa del entrenador».

Lo que Torres no sabía es que el DT chileno, manteniendo a rajatabla su estilo de las «puertas cerradas del camarín», gestionaba una situación muy complicada con el jugador, quien se mostraba poco comprometido y desconectado de la realidad deportiva del equipo, debido a sus problemas personales. Valdano conoció también esa incómoda situación: «Pellegrini ha sido muy generoso con el final de carrera de Guti. Hablamos de un crack, de un talento superior, pero que tuvo que irse del Real Madrid porque su etapa había terminado. Manuel fue muy criticado por la suplencia de Guti, pero jamás salió a ventilar los problemas que originaban esa suplencia. Siempre lo protegió y asumió los costos de las críticas».

Miguel Pardeza complementa: «Aquel estilo hay que elogiár- selo a Manuel. Hay entrenadores que caen en la tentación de señalar a un jugador, pero esa no es su manera y hay que agrade- cérselo. Es un hombre capaz de gestionar los problemas internos sin dar espectáculo hacia fuera, defendiendo siempre la dignidad del jugador. En el caso de Guti, a mí me tocó presenciar al me- nos dos reuniones en las que él se disculpaba por algún atraso o comportamiento inadecuado. Manejó con mucha tranquilidad el caso, jamás lo expuso en forma pública y simplemente tomó las determinaciones deportivas que estimó convenientes».

Al recordar las críticas que recibió por la suplencia de Guti, Pellegrini explica: «Sabía que Guti estaba con problemas perso- nales y trataba de ayudarlo dentro de lo que podía, compren- diendo su situación. Pero él no estaba bien, al punto de que una vez fue a mi oficina pidiéndome que lo separara del plantel, muy afectado emocionalmente. Lo más cómodo hubiera sido "vender" al jugador ante la prensa, eso me hubiera ahorrado muchas críticas. Sin embargo, para mí un pilar fundamental es proteger a tus futbolistas y manejar los problemas del camarín dentro del camarín. Uno no puede, como líder de un grupo, salir a ventilar la interna o criticar a tus jugadores. Y eso, al final, te lo terminan agradeciendo».

Finalizada aquella temporada 2009-2010, Diego Torres tuvo la oportunidad de reunirse con Guti tras su salida del equipo. Fue el propio jugador quien le narró las verdaderas causales de su poca continuidad con el chileno al periodista de *El País*, quien hoy analiza lo ocurrido: «El comportamiento que tuvo Pellegri- ni sirve para entender por qué los jugadores lo respetan. Los futbolistas, todos, siempre terminan hablando mal o criticando mucho a los técnicos. En el año que Pellegrini estuvo aquí en Madrid, y hasta el día de hoy, yo no he escuchado nada de eso sobre él. Solo palabras de respeto y afecto, incluso».

Conceptos como los que vierte Torres son los que generan máxima satisfacción en el Ingeniero. Ese tipo de comentarios son los que parecen generarle mayor orgullo: «Para mí ese tipo de cosas son muy importantes. Cuando me fui del Real Madrid, Guti fue personalmente a mi oficina a agradecerme por el trato que le había dado en momentos que fueron complicados para él. Mi carrera de técnico está basada en esas cosas, no en compararme con otros entrenadores o contestarle a cualquier persona cuando me critica. No me interesa crearme una imagen exitosa o que me alaben. Me interesa que aquellos que trabajaron conmigo me respeten».

En su paso por San Lorenzo de Almagro, Pellegrini logró gestionar exitosamente un plantel que mezclaba jugadores de mucha experiencia con jóvenes que comenzaban a destacarse en el fútbol argentino antes de dar el salto a Europa.

Uno de esos futbolistas de proyección era Bernardo Romeo, hoy director deportivo del club tras una carrera que incluyó pasos por Alemania (Hamburgo) y España (Mallorca y Osasuna).

El goleador tenía veintitrés años cuando el chileno se hizo cargo del equipo y rápidamente se transformó en pieza fundamental del ataque «cuervo» (apodo con el que se conoce a los hinchas de San Lorenzo).

Romeo convirtió dieciséis goles, coronándose como el máximo artillero del título del Torneo de Clausura 2001 que conquistó el DT en Argentina y, además, fue pieza importante en la obtención de la Copa Mercosur del mismo año.

Titular indiscutido y con cartel de crack, el delantero igualmente tuvo que trabajar duro para mantener en la banca al uruguayo Sebastián Washington Abreu, su competencia directa en la posición de centroatacante, según el recuerdo del propio Romeo: «No te permitía relajarte. Te daba la confianza si andabas bien, pero uno sabía que tenía que «matarse» en los entrenamientos para mantener la titularidad. Con Abreu mantuvimos una linda lucha y jamás un problema».

Abreu, el «Loco», con su estilo desgarbado, personalidad extrovertida y simpatía, es el clásico jugador que no solo sirve en la cancha (centrodelantero con olfato goleador y gran juego aéreo), también, y mucho, en el camarín, gracias a su buen ánimo y constantes bromas, a pesar de que el titular indiscutido en el centro del ataque era Romeo.

Hoy, catorce años después, Abreu recuerda esa etapa de reserva con el Ingeniero: «Me bancaba bien la suplencia porque Bernardo la estaba rompiendo. Obviamente, siempre quería jugar y trabajaba por la titularidad. Pero también entendía que Romeo andaba prendido y solo me quedaba entrenar bien para aprovechar cualquier oportunidad que me llegara».

Esa oportunidad llegó en la fecha catorce del Torneo de Clausura (29 de abril de 2001), debido a la lesión del que sería, al término de ese año, transferido al Hamburgo de Alemania. «Venía convirtiendo muy seguido [doce goles en catorce partidos] y lamentablemente me desgarré el aductor derecho en el duelo ante Los Andes», recuerda hoy Romeo, en su oficina de gerente deportivo de San Lorenzo.

»Conmigo afuera, tuvo que mover la banca y optó por el Loco para reemplazarme mientras me recuperaba. La cosa es que Abreu empezó a marcar y marcar goles, el equipo siguió ganando y me di cuenta de que no sería fácil recuperar la titularidad justo en el momento en que estaba peleando ser el goleador del torneo con Martín Cardetti [de River Plate].»

El uruguayo alcanzó a jugar tres fechas en condición de titular y en las tres convirtió (triunfos frente a Estudiantes, Chacarita Juniors y Boca Juniors): «Imagínate cómo estaba de feliz.

Había esperado con ansias mi opción y además Pellegrini me respaldó, manteniéndome en la titularidad a pesar de que Romeo ya se había recuperado».

«Cuando uno es jugador solo quiere ser titular y no entiende que el técnico debe tomar determinaciones pensando en el grupo y no en lo individual», reflexiona catorce años después Romeo. Y reconoce: «yo estaba re caliente, sentía que merecía recuperar mi puesto tras la lesión. Era el titular, no me conformaba con mirar desde el banco al Loco celebrando goles».

Con Romeo en la suplencia y Abreu de titular, la primera semana de mayo, luego de convertirle a Boca Juniors en la fecha 17 y en la previa del partido contra Argentinos Juniors en la cancha de Ferrocarril Oeste, el Loco le comentó a Pellegrini que su hija Valentina cumplía dos años: «Mi nena estaba en Montevideo con la madre, así que arrendé una avioneta junto a un grupo de amigos para volar desde Buenos Aires. Me organicé para viajar al mediodía después de la práctica y regresar al día siguiente muy temprano y así llegar al entrenamiento. Hablé con Manuel y le conté lo del cumpleaños. Él, muy serio, me dijo: "Abreu, la práctica comienza a las once de la mañana, no vaya a fallar por este viaje a Uruguay"».

El Loco tenía clara la advertencia de Pellegrini y programó su regreso desde Montevideo para las seis de la mañana: «El vuelo era muy corto [cuarenta y cinco minutos], así que saliendo temprano podría llegar con margen a Buenos Aires y entrenar sin problemas».

Abreu viajó al cumpleaños y al día siguiente el despertador sonó a las cinco de la mañana para salir al aeropuerto, tenía todo bajo control, salvo por un imprevisto: «Lamentablemente, amaneció con una neblina terrible, me quería morir. Tuvimos que esperar un par de horas, pero tenía la esperanza de que despejaría rápidamente. Sin embargo, la neblina no disipó y recién pudimos despegar pasadas las diez de la mañana. Aterricé cerca de las once en Buenos Aires y llamé a Manuel para explicarle lo que me había pasado. La conversación no duró nada, solo me dijo que llegara a entrenar a la hora que sea y me colgó».

El uruguayo se presentó en la práctica en el Nuevo Gasómetro cuando sus compañeros ya trabajaban desde hacía un buen rato. Pellegrini no le dijo nada, lo ignoró en un principio según cuenta el propio goleador: «Terminado el entrenamiento me llamó para decirme que frente a Argentinos Juniors solo me citaría porque no tenía más jugadores disponibles, pero que iría a la banca y volvería a jugar Romeo. Yo intenté explicarle lo de mi hija, la neblina, etcétera, pero él no me dejó y terminó la conversación diciéndome: «Abreu, no se enoje conmigo. Yo no le quité la camiseta de titular, usted la perdió solo».

Con el Loco sentado en la banca, San Lorenzo derrotó a Argentinos Juniors con dos goles de Romeo. Conocedor de la razón que le devolvió la titularidad, Bernardo narra: «Al finalizar el partido, Manuel se me acercó para felicitarme y me dijo: "Parece que por algo se atrasó el avión de Sebastián. Por suerte usted hizo dos goles"».

ROMÁN

—¿Quiénes son los mejores jugadores que ha dirigido?

—¡Pucha, que difícil es elegir! Tuve la opción de compartir con futbolistas de una calidad extraordinaria.

—Pero siempre hay alguno que sobresale.

—Raúl y Cristiano, especialmente por su profesionalismo. Yaya Touré, el «Kun» Agüero [Sergio] y David Silva ahora en el City, es un espectáculo verlos entrenar por la calidad que tienen. Riquelme [Juan Román] también era un fenómeno como jugador.

Cuando se hace una revisión de lo que ha sido la carrera de Pellegrini, el nombre de Juan Román Riquelme tiene un lugar preponderante. Primero, por el liderazgo futbolístico que ejerció en las grandes campañas del Villarreal.

El «Topo Gigio» coincidió en las primeras dos temporadas de Pellegrini en el Submarino Amarillo. Fueron dos años de registros inigualables con la batuta futbolística del argentino en la mitad de la cancha, alcanzando marcas históricas para un equipo de una ciudad pequeña y con una modesta trayectoria en el profesionalismo del fútbol español: en la temporada 2004-2005 terminó tercero en la Liga y clasificó por primera vez a la Champions League, torneo internacional en el que alcanzaron las semifinales. Fueron eliminados por el Arsenal en un recordado partido en el estadio El Madrigal de Villareal, donde el propio Riquelme desperdició un penal.

La segunda razón del protagonismo del argentino en el recorrido técnico de Pellegrini tiene que ver con la polémica que protagonizaron a fines de 2007, cuando el volante fue apartado del plantel debido a diferencias con la dirigencia y el entrenador. Una marginación que terminó con la salida del mediocampista del club, quien regresó a Boca Juniors en febrero de 2008 tras estar casi dos meses separado del equipo y entrenando en solitario en el complejo del club.

Para Javi Venta, titular por la banda del Villareal con el chileno como DT, el propio entrenador fue uno de los más afectados con la polémica: «Riquelme era "el Villarreal". La propuesta futbolística de Manuel se basaba en el talento y la manija de Riquelme».

Compañero en Boca y en el Submarino Amarillo, compatriota y muy cercano a Riquelme, Rodolfo Arruabarrena vivió de cerca el conflicto y ha sido uno de los pocos integrantes de ese plantel que profundizó en público sobre la interna del quiebre que terminó con el regreso del volante a Buenos Aires.

En una entrevista con el programa *Castello Confidencial* de la televisión trasandina, el «Vasco» contó que «Román era la voz del grupo a la hora de hablar con los dirigentes y Manuel por cualquier situación que se necesitara. Eso fue desgastando la relación, ya que muchas veces Riquelme hablaba por nosotros, pero al final se quedaba solo, ya que la mayoría de los jugadores no decían nada al momento de plantear lo que queríamos al DT o al presidente. Casi siempre las peticiones iban por algún día libre, el regreso de las vacaciones y cosas de ese estilo».

«Una de esas situaciones se vivió a fines de 2007», relató Arruabarrena en la televisión: «Venía el "parate" de Navidad y Año Nuevo, y Pellegrini ordenó que el regreso a los entrenamientos debía ser el 29 de diciembre. Obviamente eso nos cayó muy mal a los que viajábamos a Sudamérica a pasar las fiestas, por lo que hablamos con él. Pellegrini en ese tipo de situaciones era muy pragmático y nos dijo que si ganábamos los cinco partidos que restaban antes del receso navideño, nos daba un par de días más de vacaciones. Ganamos cuatro de corrido y en el quinto, contra el Osasuna en casa, fuimos un desastre: perdimos 4-1 y, a pesar de nuestras peticiones, nos exigió volver el 29, antes de Año Nuevo».

Coincidentemente, esa derrota de local fue el último partido con la camiseta del Villarreal para Riquelme, quien tuvo que presentarse de mala gana el día 29 a pesar de sus intentos por alargar el descanso hasta el 2 de enero. Aquella petición tenía una urgencia especial para el argentino, quien quería estar presente en una fiesta que había organizado en Buenos Aires un amigo suyo y fisioterapeuta personal. Al final hubo celebración, pero sin Riquelme.

La determinación de Pellegrini le cayó muy mal a Juan Román y significó la gota que rebalsó el vaso en una relación que ya se había desgastado, debido a las reiteradas exigencias y peticiones que el jugador le había hecho al técnico.

Robert Pirès, compañero del argentino en el mediocampo del Villarreal, estima que Pellegrini se movió acertadamente en medio de la difícil situación: «Manejó muy bien la crisis, porque la disciplina es lo más importante y la tienes que mantener en cada equipo. El míster era de disciplina fuerte, para mí al menos esa forma de ser es la correcta. Además, el tiempo le dio la razón, porque el equipo logró sobreponerse a la salida de Riquelme y mantuvimos un gran rendimiento».

Efectivamente, tras el regreso del mediocampista a Argentina, el Villarreal cuajó una temporada espectacular rematando en el segundo lugar de la tabla, la mejor ubicación en la historia de la institución, y volvió a clasificar a la Champions League.

Para Javier Callejas, delantero español que alternó en el Submarino Amarillo con Pellegrini, el volante argentino era un talento en la cancha, pero generaba algunas dificultades fuera de ella: «Riquelme demostró una calidad sobresaliente, pero era una persona que necesitaba sentirse constantemente el centro de atención; cuando veía que había jugadores que destacaban, o cuando veía que no era el protagonista, surgían conflictos; no estaba contento y eso provocaba tensión al interior del grupo. Román ponía muchas exigencias y Pellegrini se vio superado. Cuando quiso cortarlo ya era tarde y el presidente tuvo que tomar medidas extremas para apoyar al entrenador».

Para Orfeo Suárez, editor de *El Mundo* de España, hay un punto de inflexión para Pellegrini a raíz del episodio de Riquelme: «La actitud que tomó, sobre todo al lograr mantener el rendimiento del equipo sin su gran estrella, significó un antes y un después en la carrera del técnico. Le demostró al mundo del fútbol que se trataba de un entrenador con mucho liderazgo y carácter, que no se dejaba amedrentar y que anteponía el interés grupal antes que el particular, independientemente de que el protagonista de la disputa fuera la figura del equipo y un jugador con mucho peso en el camarín».

Siete años después del conflicto, cuando en enero de 2015 anunció su retiro del fútbol en el programa de televisión *Sportcenter* de ESPN Argentina, a Riquelme se le preguntó por cuáles habían sido sus mejores entrenadores. La respuesta del talentoso volante fue inmediata: Carlos Bianchi (con quien lo ganó todo en su primera etapa en Boca Juniors) y Manuel Pellegrini, a quien catalogó como un muy buen entrenador con el que había tenido la fortuna de compartir camarín.

El Ingeniero se alegra cuando se entera de las palabras de su ex dirigido y entrega un punto de vista distinto para evaluar el conflicto que protagonizaron, asumiendo una cuota de responsabilidad que le cupo como líder del plantel: «Con Riquelme se produjo una serie de secuencias —dentro y fuera de la cancha— que cuestionaban la autoridad. Y cuando tu liderazgo está siendo mermado por un jugador y te impide gestionar el camarín, tienes que sacar al jugador. Si no, te va a sacar el jugador a ti. Uno tiene que demostrarle al grupo que este no es un problema de nombres, sino que es un problema de conceptos, tanto para mí como para el jugador y para el equipo. Fue una situación muy difícil y quedé con la sensación de que en algo fallé por no haberlo podido convencer.

»Siempre uno tiene que buscar su propia responsabilidad en un conflicto, detectar el error que uno ha cometido. Intenté muchas veces con Riquelme y otros jugadores para que actuaran bajo mis mismos parámetros, intentando convencerlo de una serie de cosas que para mí eran fundamentales para poder llevar al resto del grupo. No lo logré y eso frustra, pero el bien del grupo siembre debe estar por sobre el individual. De todas formas, no hay dudas de que Riquelme era un fenómeno como jugador.»

Después lo entenderás

Con apenas diecisiete años, Sebastián Rozental tenía al fútbol chileno a sus pies. Corría el primer semestre de 1994 y Manuel Pellegrini se hizo cargo de Universidad Católica, plantel que contaba con el joven atacante como figura promisoria.

El zurdo había comenzado a alternar en la titularidad durante la temporada anterior, bajo la dirección técnica de Ignacio Prieto, y venía de ser una de las estrellas de la selección chilena sub-17, que obtuvo el tercer lugar en el Mundial de Japón 1993.

Tras el cambio de técnico en el complejo de San Carlos de Apoquindo, el delantero se ganó la confianza de Pellegrini, convirtiéndose poco a poco en protagonista, a pesar de su corta edad, y ganando minutos junto a figuras consagradas como Alberto Acosta y Néstor Gorosito.

Rozental convirtió 39 goles en 75 partidos con la UC y, en 1997, fue transferido al Glasgow Rangers de Escocia por siete millones de dólares. Números importantes para un ariete muy joven que hoy, aún vinculado al fútbol en el rubro de la representación de jugadores, recuerda el impacto que tuvo el Ingeniero en su carrera: «Gran parte de mi formación como jugador y el éxito que tuve en mi primera etapa se lo debo a Manuel. Por lo del Mundial Sub-17, la fama y el éxito me llegaron muy rápido; él fue fundamental para mantenerme enfocado, mezclando mucha preocupación con una gran exigencia también».

En ese momento, Rozental no solo llamaba la atención por sus atributos futbolísticos: gracias al impacto que generó en Chile aquella generación sub-17, un grupo importante de seleccionados juveniles se transformaron en estrellas mediáticas, con recurrentes apariciones en televisión e incluso con clubes de fans.

«Rozy» era uno de los favoritos de las adolescentes, por lo que cada salida a provincia se transformaba en un acontecimiento para las jovencitas de todo el país, generando gran revuelo y vigilias eternas en los hoteles de concentración de Universidad Católica.

Ante el acoso, el zurdo recuerda: «Empezó a dejarme al margen de las citaciones cuando el equipo jugaba de visita. En San Carlos, en cambio, donde concentrábamos en nuestro complejo que estaba muy aislado, siempre me incluía en la lista. Un día fui y le pregunté por qué no me citaba cuando viajábamos. Sin alterarse me contestó que necesitaba que mis compañeros descansaran la noche previa a los partidos, situación imposible con el griterío en la entrada de los hoteles. Así es Manuel: pragmático, racional y con todas sus determinaciones enfocadas hacia el beneficio grupal antes que el individual».

El DT, tal como haría con otras promisorias figuras que le tocó dirigir en diferentes equipos, fue exigente al máximo con

Rozental, una actitud que buscaba evitar que el «diamante en bruto» estancara su desarrollo.

«Cuando uno ve jóvenes con las condiciones que tenía Sebastián, sabe que pueden dar mucho más», explica Pellegrini. «Pero si están jugando a un nivel inferior a lo que son capaces, pienso que no pueden estar contentos porque hicieron tres goles. Tienen que sentirse satisfechos cuando llegan a un nivel en el que realmente desarrollan el máximo de sus capacidades».

El ejemplo de los tres goles que da el entrenador no es casual según el recuerdo del rubio delantero: «La prensa me trataba muy bien, siempre me elegían entre los mejores jugadores de la fecha. Era muy gratificante, pero para Manuel no era suficiente. Hubo varios partidos en que fui figura, convirtiendo dos o tres tantos incluso. Después veía las portadas de los diarios el día lunes y no quería más, me sentía lo máximo con apenas dieciocho, diecinueve años. Sin embargo, me agarraba a la primera práctica tras un partido y siempre me decía lo mismo: "¿Usted cree que jugó para nota seis o siete como dicen los diarios? Porque yo pienso que jugó para un cinco como máximo. Usted puede dar mucho más". Yo le decía: "¿Qué más quiere?", y él siempre me salía con las siguientes preguntas: "¿Dónde están jugando sus contemporáneos de Brasil o Argentina? Ronaldo es goleador de la liga holandesa. Leonardo Biagini en el Atlético de Madrid de España. ¿Y usted? El domingo juega contra Regional Atacama. Siga entrenando mejor y no mire tanto los diarios"».

El año 2003, Pellegrini firmó por River Plate, un equipo grande de Argentina que contaba con jugadores muy experimentados.

El capitán de ese equipo era el volante Leonardo Astrada, apodado «el Jefe». El vicecapitán era el arquero Ángel Comizzo. Ambos futbolistas mantenían una relación muy cercana con Ramón Díaz, el antecesor del chileno en el estadio Monumental.

Según José María Aguilar, ex presidente del club millonario, «a una parte de la prensa y del grupo de jugadores más grandes del plantel le costó asimilar la partida de Ramón. Claramente, Leo [Astrada] y Comizzo seguían en contacto con su ex entrenador, y eso generaba ruido en la interna. Además, eran los capitanes del equipo».

En ese contexto, el técnico chileno debió definir a su llegada si confirmaba a los capitanes o daba un golpe de timón. Pero mientras Astrada y Comizzo cumplían sus últimas temporadas como jugadores activos, en ese plantel de River comenzaba a deslumbrar un muchacho que se convertiría con el tiempo en uno de los mediocampistas más talentosos del fútbol argentino: Andrés D'Alessandro.

Pellegrini vio de inmediato en el «Cabezón» unas condiciones especiales y decidió entregarle la cinta de capitán, a pesar de sus veintidós años recién cumplidos, sorprendiendo al camarín y permitiendo una transición en la capitanía sin mayores traumas, ya que al otorgarle la responsabilidad a una figura promisoria formada en la institución, comprometía a los más grandes del plantel y evitaba conflictos.

D'Alessandro agradece la actitud que tuvo el chileno cuando recién comenzaba a consolidar su carrera como jugador: «Para mí Pellegrini fue fundamental en mi trayectoria. Fue un técnico que me dio absoluta confianza; me marcó mucho. Significó un empujón para mi desarrollo en una etapa en que aún me estaba formando como jugador. Me hizo capitán en un plantel repleto de jugadores con mucha experiencia y que eran símbolos del club. Para él solo tengo palabras de agradecimiento.

»Recuerdo que cuando me informó que sería capitán, me dijo que asumiera el liderazgo dentro de la cancha. Que no me quería de líder para arreglar los premios o preocuparme de esas cosas, porque para eso estaban los jugadores más experimentados. Solo me pidió que con mis características le imprimiera al equipo el juego histórico de River Plate: pelota al piso, buen trato del balón y permanente vocación ofensiva, pero no de cualquier forma, sino que intentando siempre jugar bien y cuidando el balón.

»Se ganaba al grupo con el día a día, en cada entrenamiento. Con buenos y variados trabajos en cancha, siempre con la pelota. Eran prácticas entretenidas. Además era un técnico justo, que te decía las cosas de frente y tenía la preocupación de hacerte partícipe, buscando que todo el plantel se sintiera importante, incluso los que no jugaban. Ese era uno de sus principales méritos, a mi juicio.»

Tal como hizo con Sebastián Rozental y otros talentos emergentes que dirigió, Pellegrini mezcló exigencia y cuidado especial con D'Alessandro, a quien le asignó responsabilidades importantes dentro del plantel: «Una vez, durante un partido frente a San Lorenzo, hice un primer tiempo muy malo. Estaba desconectado, me había ganado una tarjeta amarilla tonta por protestar. Estaba fastidioso. Nos fuimos al descanso perdiendo 1-0 y en el vestuario, delante de todo el grupo, me regañó fuerte, duro. Me dijo que si no quería jugar, le dijera y que me fuera a mi casa, porque con esa actitud no estaba asumiendo la responsabilidad de ser el capitán de River. La verdad es que me remeció. En vez de hacer una sustitución y sacarme, me dio una lección delante del grupo, motivándome y generando un cambio: en la segunda etapa lo dimos vuelta, ganamos 4-1, marqué un gol y "volé" en la cancha».

Con más de sesenta partidos jugados con la selección española y el cartel de figura en sus pasos por el Villarreal, el Málaga y el Arsenal de Inglaterra, Santi Cazorla saltó al profesionalismo de la mano del técnico chileno.

El volante se formó como jugador en la cantera del Submarino Amarillo y a los diecinueve años, cuando aún no debutaba en el primer equipo, Pellegrini lo incluyó en la pretemporada del plantel adulto.

Dueño de un gran talento, el ascenso de Cazorla coincidió con la primera temporada del chileno en Europa. El Ingeniero quedó deslumbrado con las condiciones del mediocampista, lo subió al plantel de honor de forma definitiva y lo hizo jugar en 28 partidos del ciclo 2004-2005.

Hoy, Manuel Llaneza, vicepresidente del club en esa temporada, recuerda nítidamente la irrupción de Cazorla de la mano del DT: «Santi jugó muy bien aquel primer año con el equipo. Apareció mucho, convirtió goles [siete] y Manuel le dio bastantes chances, estaba muy conforme con sus actuaciones, por lo que volvió a tenerlo en sus planes para la temporada siguiente».

Pero durante la estación 2005-2006, Cazorla bajó ostensiblemente su rendimiento. La dirigencia y la prensa de Villarreal tenían a la joven promesa como uno de los favoritos del plantel, por lo que justificaban su irregularidad futbolística argumentando la juventud y falta de experiencia.

Pellegrini, en cambio, tenía otra visión, según explica hoy: «Santi tuvo un primer año espectacular, creció mucho. Luego vino su segunda temporada y, a pesar de que tenía a disposición a otros juveniles que habían andado bien, los mandé a préstamo porque confié nuevamente en Cazorla. Sin embargo, fue un desastre. A mi juicio, él creía que ya había llegado al máximo nivel, se conformó. Por eso hablé con él y le dije que ya no jugaba más en Villarreal porque no tenía posibilidades de seguir progresando. Lo mandé a préstamo al Recreativo de Huelva, pero le prometí que si andaba bien, iba a ser el primero en volver y si no, tendría que tomar su camino por otro lado».

Javi Mata, periodista de la radio Villarreal en la época de Pellegrini, también conoció de cerca el manejo del chileno con el promisorio mediocampista: «Cuando el míster le comunicó que se iba a préstamo, Santi salió llorando del camarín, estaba destruido. Por los pasillos del complejo nos preguntaba por qué le estaban haciendo eso. Pero al final fue para mejor, porque anduvo muy bien en el Recreativo y Pellegrini cumplió su promesa y lo hizo regresar al equipo a la temporada siguiente.

»Ahí vimos a un jugador mucho más maduro, que se ganó la titularidad, fue figura y recibió el llamado de la selección española. Manuel fue muy duro con él en un momento en que era joven e inmaduro, pero eso le sirvió mucho. Después fue el propio Pellegrini quien se lo llevó al Málaga por diecinueve millones de euros [2011] y de ahí dio el salto a la Premier League.»

Para Pellegrini, el caso de Cazorla demuestra la actitud que un DT debe asumir ante los talentos jóvenes: «Se les debe plantear desde el principio el máximo nivel de exigencia. Tienen que tener regularidad como cualquier otro integrante del plantel, no sirve que jueguen un partido bien y otro mal, deben ser consistentes. Lo que intento es formar al jugador, esa es una responsabilidad. Los técnicos no podemos ser solo explotadores de los futbolistas, debemos ser formadores también».

ARGENTINIDAD

—Si hubiera un cambio en el reglamento y tuviera que armar un equipo con once jugadores de un mismo país, ¿de cuál elegiría?

—Armaría uno con argentinos, sin ninguna duda. Después de eso, o a la par en realidad, armaría uno de brasileños, seguro.

—¿Por qué?

—El jugador argentino es muy profesional, competitivo al máximo. El brasileño tiene una técnica que marca diferencias. E incluso el uruguayo, que tiene una calidad inferior a la del argentino o del brasileño, pero posee un temperamento distinto que le permite destacar.

—Siempre sudamericanos…

—Siempre. Soy muy hincha de los jugadores sudamericanos porque nacieron con el fútbol, lo tienen desde la cuna. Están hechos para el fútbol, lo sienten de una forma distinta.

—En lo específico, no menciona al jugador chileno. En Chile está la idea de que no le gustan sus compatriotas futbolistas porque no ha tenido buenas experiencias…

—Eso es mentira. Totalmente mentira.

—Pero no ha llevado muchos chilenos a sus equipos.

—A la Liga de Quito llevé a Eladio Rojas, chileno. En Argentina, cuando estuve en River Plate, pedí a Marcelo Salas, chileno. En Villarreal contraté a Matías Fernández y llevé a Mathías Vidangossy, dos chilenos. Y en el Málaga tuve a Manuel Iturra y Pedro Morales, otros dos. ¿Entonces? Es totalmente falso que a mí no me gusten los futbolistas chilenos.

No oculta su molestia Manuel Pellegrini cuando se le plantea el tema de los pocos chilenos que ha tenido en sus planteles en el extranjero. En el medio local existe el concepto de que el hoy técnico del City, casi como una autoimposición nacionalista, debería exigir la contratación de compatriotas en sus clubes. Una situación absurda, pero que ha sido un foco de crítica permanente.

En los doce años que lleva dirigiendo en Europa el número de argentinos que han reforzado a sus equipos es alto: quince. El DT no esconde su admiración por el futbolista albiceleste, una situación recurrente en los técnicos internacionales, dado el nivel de competitividad que los jugadores de aquella nacionalidad suelen mostrar en las principales ligas internacionales.

El detalle que Pellegrini entrega de los jugadores connacionales que dirigió es certero también, pero el registro muestra que el número es reducido si se contextualiza en sus doce años en España e Inglaterra. Además, el análisis individual de cada uno de los casos no es especialmente feliz. Salvo Rojas en la Liga de Quito e Iturra en su alternancia en la titularidad del Málaga, los rendimientos de los jugadores chilenos al mando de Pellegrini no han sido, por distintas circunstancias, especialmente destacados.

La llegada de Salas a River Plate en 2003 generó mucha expectativa. El «Matador» volvía desde Italia con el cartel de ídolo del club tras su primer paso por la institución entre 1996 y 1998. Sin embargo, tras una seguidilla de lesiones, el regreso a Buenos Aires fue muy irregular.

Felipe Prieto, preparador físico que acompañó a Pellegrini en la Liga de Quito y River, recuerda: «Manuel sufrió mucho con las lesiones de Marcelo. Le tenía una admiración y confianza absoluta. Era un jugador muy importante en el proyecto que intentábamos armar, pero el físico no lo acompañó. Eso afectó mucho a Manuel».

Pellegrini no esconde su admiración por el Matador cuando rememora el período en que coincidieron en Buenos Aires: «Salas es uno de los delanteros con mejor técnica que entrené. Su control dirigido del balón era extraordinario. Tenía una tremenda capacidad para quedar bien ubicado en el área, gracias a la facilidad con la que controlaba la pelota. Yo confiaba mucho en el aporte que podía entregarle al equipo. Lamentablemente, no pude disfrutarlo en su mejor momento, pero es de lo más talentoso que vi».

Tras su paso por Argentina, Pellegrini dirigió a dos chilenos en el Villarreal: Matías Fernández y Mathías Vidangossy. Este último fue una apuesta tras su buena actuación en el Mundial Sub-20 de Canadá 2007, aunque no fructificó, ya que el joven chileno ni siquiera alcanzó a debutar con la camiseta amarilla.

Lo de Matías Fernández fue distinto. Elegido el mejor jugador de América el año 2006 tras extraordinarias temporadas en Colo-Colo, «Matigol» llegó con el rótulo de figura al Villarreal, club que desembolsó siete millones de euros por sus servicios.

Tres años después de su experiencia con Marcelo Salas en River Plate, el Ingeniero volvía a dirigir a un compatriota, quien llegaba a España con la misión de convertirse en figura. Sin embargo, Fernández jamás pudo consolidarse en el fútbol español. En las tres temporadas que alcanzó a estar regaló solo chispazos de su talento y fue transferido al Sporting de Lisboa el 2008 luego de 91 partidos y apenas siete goles bajo las órdenes de Pellegrini. Para el entrenador el volante se transformó en foco de críticas en España y Chile.

Cuando lo alineaba, en la prensa ibérica afirmaban que lo hacía porque era su compatriota. Cuando lo dejaba en la banca, eran los medios chilenos los que criticaban asegurando que a Pellegrini no le gustaban los jugadores de su misma nacionalidad.

Hoy el DT insiste que jamás ha vetado la contratación de un compatriota o que ha desechado la opción de reclutar chilenos solo por su lugar de nacimiento. «A medida que he ido subiendo en mi carrera, también he ido llegando a equipos con mayores niveles de exigencia. Entonces, en Chile no hay muchos jugadores con nivel para ese tipo de equipos. Cuando estuve en el Real Madrid [2009], por ejemplo, no había un jugador en ese momento que se destacara como para llegar a un club tan importante».

—Pero ahora, y al menos hace un par de años, hay algunos chilenos que tienen un gran nivel y juegan en los mejores equipos del mundo, sin embargo usted en el City no tiene a ninguno nuevamente...

—Por supuesto que hoy sí hay varios, pero en el mercado de contrataciones las cosas no son fáciles y automáticas. En el inicio de la temporada 2014-2015 hubo algunos acercamientos para traer a Alexis Sánchez al Manchester desde el Barcelona, pero los contactos no prosperaron y él terminó en el Arsenal, donde ha hecho una campaña espectacular. También está Arturo Vidal, que para mí es uno de los mejores mediocampistas del mundo y quizá el jugador más destacado de la selección chilena. Ellos tienen nivel de sobra, pero no es llegar y traer jugadores.

Manuel Iturra ha sido uno de los pocos chilenos que han pasado por la dirección técnica de Pellegrini en Europa. Fue en el comienzo de la temporada 2012-2013, cuando el Málaga se encontraba en una severa crisis económica que lo obligó a buscar jugadores de bajo costo en el mercado. Mario Husillos, director deportivo del club, aprovechó que el «Colocho» estaba con el pase en su poder tras desvincularse del Real Murcia, y le ofreció a Pellegrini los servicios de su compatriota.

Husillos afirma que «con la magia de Pellegrini pudimos pelear con lo poco que teníamos en esos momentos de crisis, porque él aquí armó una cosa extraordinaria: a quien viniese al club le iba bien y respondía. Iturra, por ejemplo, venía de Segunda División e hizo una temporada excepcional, con gran rendimiento en Champions League, incluso».

Colocho jugó 25 partidos en la temporada que estuvo bajo las órdenes de Pellegrini y afirma que «el míster jamás me trató de una manera especial por ser su compatriota. Su estilo era igual con todos y no marcaba diferencias por tal o cual nacionalidad. Jamás me comentó algo de los jugadores chilenos tampoco. Él se manejaba muy bien, con total profesionalismo, y logró sostener el rendimiento de un camarín que estaba muy afectado por los problemas económicos del club.

»Yo le estoy muy agradecido y creo que cumplí con lo que me dijo la primera vez que lo vi en Málaga, cuando llegué a firmar al complejo y me lo topé en el estacionamiento. Me saludó muy cordialmente —no lo conocía en forma personal—, me preguntó cómo me sentía y, sabiendo que yo llegaba en una situación especial ya que estaba sin club, me dijo: "Aproveche esta oportunidad, no la deje escapar".»

CAPÍTULO 7

Comunicación en la cornisa

Peligro en la cima

En su presente al mando del millonario proyecto del Manchester City, pero en especial durante sus pasos por River Plate en Argentina y el Real Madrid en España, Manuel Pellegrini ha tenido la posibilidad de convivir con la presión que implica dirigir en algunas de las instituciones más grandes del mundo.

El cuadro argentino constituye una potencia continental con un inmenso nivel de popularidad en su país y en toda Sudamérica, mientras que el equipo merengue debe ser, si es que no lo es, el cuadro con más tradición, exposición e historial del fútbol mundial.

Sentarse en esas bancas no solo implica el orgullo máximo que premia la capacidad y trayectoria de un entrenador, también constituye una vertiente constante de cuestionamientos, presiones e intereses cruzados.

La cima del planeta fútbol implica convivir con el paraíso de las posibilidades ilimitadas y con las mazmorras de la evaluación inmisericorde. En el Olimpo del fútbol no hay posibilidad de traspié y cualquier error se paga muy caro. Pellegrini, en distintas épocas y contextos, dio el salto desde San Lorenzo y Villarreal hasta River Plate y el Real Madrid, respectivamente. Fueron dos saltos al limbo, desde la tranquilidad de cuadros con menos exigencias a la obligación de ganar, gustar y golear siempre. Dos saltos en los que debió manejar, con su particular estilo, el placer del reconocimiento absoluto y la tensión de la crítica despiadada.

Fueron dos experiencias en las que hubo similitudes positivas: la capacidad de manejar planteles de alto tonelaje, ganándose el respeto de sus jugadores y plasmando un fútbol ofensivo que logró dar espectáculo. Pero también constituyeron dos etapas con realidades más oscuras: los cuestionamientos y la persecución de parte del medio periodístico, la sensación de que fueron experiencias más cortas de lo merecido y el sinsabor de los proyectos que parecen truncados.

En ambos escenarios, ya sea tanto en el momento de los aplausos como en el de los cuestionamientos, Pellegrini mantuvo sus convicciones futbolísticas, afrontó los desafíos con su profesional y metódico estilo de trabajo, y mantuvo su tradicional perfil comunicacional bajo, una marca registrada de su personalidad pública que, en no pocas ocasiones, ha conllevado un tratamiento menos tolerante por parte de la crítica mediática.

River Plate y Real Madrid significaron, en la carrera del Ingeniero, dos estaciones que marcaron su trayectoria técnica para siempre. Dos momentos inolvidables en los que rió y sufrió, experimentando la contradicción constante de vivir, al mismo tiempo, en el infierno y en el paraíso.

El riñón de Núñez

En mayo de 2002, Pellegrini fue presentado como técnico de River Plate en reemplazo de Ramón Díaz. Avalado por su buen trabajo con San Lorenzo, pero cuestionado por su nula identificación con el club de la «banda sangre», el entrenador chileno dio el salto a una de las instituciones más importantes del fútbol internacional. Junto a Boca Juniors, River es el club con mayor popularidad de Argentina y en torno a él funciona un inmenso aparataje comunicacional.

Desde su primera semana en el estadio Monumental del barrio de Núñez, el chileno corroboró la exposición mediática a la que estaría sometido. Mientras se ganaba el respeto del camarín con su patentado método de trabajo, en paralelo debía afrontar de entrada los cuestionamientos de la prensa que no comulgaba con la salida de «Ramón» y la llegada de un DT que no era del «riñón» del club.

«Sorprendió mucho la salida de Ramón Díaz, no porque Pellegrini fuera un mal entrenador, sino porque los dirigentes suelen buscar a alguien que conozca el club por dentro. Eso, a la larga, terminó costándole varios dolores de cabeza a Manuel». El recuerdo es de Hernán Castillo, periodista del diario *Clarín* de Buenos Aires, que siguió de cerca el periplo del Ingeniero por Núñez. «Aguilar siempre decía que quería un cambio de imagen en River y que Ramón Díaz no entraba en ese cambio por una cosa de personalidad. Pellegrini calzaba perfecto en el nuevo concepto, tenía una forma de ser diferente a la habitual en los entrenadores argentinos, que en su mayoría son muy extrovertidos y amigos de la polémica abierta con la prensa. Sé que Aguilar discutió bastante en la comisión directiva para imponerlo, pero dentro del club había gente que no estaba de acuerdo con su contratación. Pellegrini fue un caballero absoluto, siempre con buenas formas y modos. Diera o no una nota, siempre trataba de explicar y hasta de contener en algunas situaciones. Cuando uno estaba ansioso por alguna información él tenía la buena onda de hablarte porque sí o porque no. Pero River era un mundo nuevo y más complicado, y pasar de San Lorenzo a River significaba un cambio gigante en cuanto a la evolución mediática diaria, con mucho ruido de pasillos en la interna además».

Indiferente a la presión, Pellegrini desarrolló su estilo de trabajo con un plantel que rápidamente valoró su profesionalismo, según el testimonio de José María Aguilar, presidente del club en ese momento: «A mí los jugadores me hablaron maravillas de él de entrada. Sabían de su éxito en San Lorenzo, pero otra cosa es el camarín de River. Gestionó con autoridad a los jugadores que tenían un vínculo con el entrenador anterior [ver capítulo 6: Factor humano].

»Lo más duro fue el ataque constante de un sector de la prensa, acostumbrado a entrenadores que les daban libre acceso al camarín y que construían alianzas de convivencia mutua con algunos periodistas. Todo lo contrario a Pellegrini, que jamás se iba a prestar para algo así. Además, hay que decir que un hombre lleno de cualidades como Manuel, no hace de la simpatía pública una de sus características más excelsas.»

Andrés D'Alessandro, promisoria figura de ese equipo de River, confirma los dichos de Aguilar: «Sabíamos de su capacidad, el mundo del fútbol es muy chico y la gente de San Lorenzo nos había contado que era un técnico serio y muy profesional. Es un entrenador muy tranquilo y sereno. Es simple y siempre busca entregarle confianza al jugador, respaldarlo. Jamás perdía el control y cuando algo no le parecía o tenía que remecer al equipo, lo hacía alzando la voz, imponiéndose, pero siempre con mucho respeto. Gritaba lo justo y necesario, por ejemplo».

Al recordar la situación vivida en Núñez, Pellegrini no dramatiza sobre sus críticos y asegura que sintió un reconocimiento mayoritario del medio por su trabajo. Pero al puntualizar en aquel sector periodístico que lo hostigó permanentemente en Buenos Aires, comparte una idea que va más allá de su experiencia específica en River Plate: «En todos estos cargos importantes sobre los que hay mucha gente con intereses creados, hay también muchas personas que desde atrás tienen una relación muy aceitada con determinados periodistas para tratar que el puesto quede libre. Es toda una mafia, digo yo, entre agentes, periodistas y técnicos».

—¿Usted vivió eso en River?

—Sí, lo viví en River y lo vas a vivir en casi todos los clubes grandes que te toque dirigir. Hay muchos intereses. Y si a eso le agregas que soy «tolerancia cero» en mi forma de tratar a todos por igual, procurando no perjudicar a determinado periodista o medio, pero tampoco favoreciendo a otro…

Enso Herrera fue el locutor oficial del estadio Monumental durante 35 años, de 1979 a 2014. Encargado, además, de coordinar las conferencias de prensa del club, Herrera conoció como nadie los recovecos del recinto de Núñez.

Cada rumor, cada comentario, cada gesto que emanara de las entrañas del Monumental eran de conocimiento del locutor, quien hoy hace memoria para recordar el paso de Pellegrini por los Millonarios: «Parte del periodismo no valoró a una persona tan preparada y respetuosa como Manuel. Su estilo chocaba además con el clima confrontacional que vivía el país por la crisis institucional y el "corralito". El ambiente era muy decadente y agresivo, y el fútbol no escapaba a esa realidad. Entonces, un tipo tan calmado como el chileno, con una estructura tan ordenada, de ingeniero, chocó demasiado porque no le era útil al medio».

Ser otro

«¿Usted tiene claro que su estilo comunicacional le puede generar, y haber generado, inconvenientes con la prensa?»

Aquella mañana de junio le pregunté directamente a Pellegrini si entendía que en la gran mayoría de los casos, a los medios le resultaba poco atractiva su forma de comunicar.

En el fondo, a mi juicio, el chileno es de aquellos técnicos que solo los sostiene el éxito deportivo, los títulos. Obviamente, esa situación la viven todos los entrenadores de élite, pero generalmente la crítica es más benevolente cuando el protagonista de la historia es un personaje que genera contenidos atractivos más allá de los resultados puntuales.

Pellegrini no elude la pregunta. Parece tener claramente asumidos los costos que acarrea su manejo comunicacional y coincide con la «tesis» que le planteo:

—Estoy totalmente de acuerdo. Es muy probable que ocurra algo así y lo asumo. Soy lo más lejano a alguien que aporta al show. Y sería tan fácil aportar, pero ahí uno se convierte en la primera figura y a mí eso no me interesa. Lo que me importa es destacarme por mi trabajo.

—¿Y el caso de José Mourinho? Él se destaca por su trabajo, pero también es muy atractivo comunicacionalmente...

—Creo que Mourinho aporta una enormidad a todo el espectáculo que rodea al fútbol. Pero él es así también. Está en constante conflicto, dispuesto a bajar el nivel si es que lo atacan con una pregunta y saliendo, a veces, con alguna barbaridad como respuesta. Así lo veo yo al menos. Y si hubiera tenido que actuar de esa manera para llegar hasta donde he llegado, no me sirve. Sería otro. Me sentiría totalmente frustrado. No sería yo en el fondo.

—¿No cree que esa actitud lo ha terminado perjudicando?

—No sé. Y más que pensar en eso prefiero evaluar mi carrera por lo que ha sido. Es cosa de ver cuántos técnicos sudamericanos llevan la cantidad de tiempo que yo llevo en Europa. O que hayan alcanzado lo que yo he logrado. No son muchos. O ninguno quizá. Entonces, el nivel al que he llegado ya es muy alto para pensar si por ser de tal o cual manera me hubiera ido aun mejor. No te lo puedo decir, porque no me he sentido perjudicado. Al revés incluso: creo que mis convicciones son las que me permitieron llegar a este nivel sin depender de un periodista o de ser parte del show de los medios. Además, si la fórmula fuera ser cercano a la prensa, estaría lleno de técnicos sudamericanos en los clubes grandes de Europa, y no es así.

Registro millonario

Al mando de River Plate Pellegrini alcanzó a dirigir 75 partidos. Ganó cuarenta veces, empató en catorce y fue derrotado en 21 oportunidades.

En su primera temporada remató en el tercer lugar del Torneo de Clausura, certamen en el que fue introduciendo su propuesta futbolística en el equipo. Una propuesta que agradó por su vocación ofensiva y de buen trato al balón, pero que generó resistencia por la utilización del «doble cinco» en el medio campo (ver capítulo 3: Hablemos de fútbol).

Presionado por la obligación de obtener el título, el Apertura 2003 comenzó de la peor manera para el Ingeniero: empate 2-2 frente a Newell's Old Boys y derrota en casa ante Vélez Sarfield por 1-0. Otra vez la crítica caía con todo y la prensa, que lo había cuestionado a su llegada, gastaba abundante tinta en contra del chileno.

Sin embargo, a partir de la tercera fecha, el Millonario inició una racha imparable, obteniendo ocho triunfos consecutivos y manteniéndose invicto dieciséis partidos, registro que le permitió llegar a enfrentar en la penúltima fecha del certamen a Olimpo, con la opción de titularse campeón por anticipado en Bahía Blanca.

En un partido trabado y que solo se definió en el segundo tiempo, el River Plate de Pellegrini consiguió abrochar el título número 31 de su historia, tras derrotar 2-0 a Olimpo con tantos de Víctor Zapata y Diego Barrado.

La cancha del estadio Roberto Natalio Carminatti servía de escenario para una nueva celebración del técnico chileno, quien lograba acallar a sus críticos demostrando que para ser campeón con «la banda sangre» no era perentorio pertenecer al famoso riñón del club.

Caía la noche del domingo 9 de noviembre de 2003, y afuera del camarín de River Plate en el estadio Monumental, una horda de barras bravas del club insultaban y cantaban en contra de Manuel Pellegrini.

Boca Juniors, el clásico rival, acababa de vencer a domicilio por 2-0 al equipo del chileno, quien conversaba con los dirigentes en el interior del vestuario, mientras afuera la situación amenazaba con desbandarse en cualquier minuto.

Corría la decimocuarta fecha del Apertura, torneo en el que el reciente campeón argentino cumplía una irregular actuación, ubicado en la medianía de la tabla y enfocando sus esfuerzos en el plano internacional en la Copa Sudamericana.

Tras la charla con los directivos, Pellegrini le habló fuerte al abatido plantel de jugadores: «Con esta actitud vamos a seguir perdiendo», fue la frase que disparó el Ingeniero. El silencio era absoluto en el camarín, la desazón era total según cuenta Antonio La Regina, el «dirigente de los ravioles» (ver capítulo 4: Fuera de juego), presente ese día: «José María [Aguilar] le preguntó a Manuel si prefería pasar de la conferencia de prensa y no hablar con los medios, por lo feo que estaba el ambiente afuera. Pero él dijo que por ningún motivo, que le correspondía hablar y nos advirtió que iba a decir lo mismo que le había dicho a los jugadores: «Vamos a seguir perdiendo». Nosotros le preguntamos que si estaba loco, que cómo se le ocurría, que no lo hiciera, pero nada, Manuel se sentó en la conferencia y anunció que con esa actitud el equipo iba a seguir perdiendo. Imaginate la de críticas que le cayeron».

Eliminado en cuartos de final de la Copa Libertadores por el colombiano América de Cali, y sin opciones de pelear la punta en el torneo, Pellegrini logró sostener la motivación de su plantel con el desafío de la Copa Sudamericana. River eliminó a Libertad de Paraguay en cuartos de final y en semifinales avanzó tras una infartarte definición a penales ante el Sao Paulo en Brasil.

En la final, al cuadro argentino lo esperaba el sorprendente Cienciano de Perú, pero a pesar de la opción cierta de conseguir otro título, la suerte del chileno ya estaba echada, según La Regina: «Como yo era muy cercano a él, Aguilar y Mario Israel [vicepresidente del club] se me acercaron antes de la semifinal con Sao Paulo para que le advirtiera a Pellegrini que le iban a pedir la renuncia aunque el equipo ganara la copa. Yo me quería morir, no quería que se fuera y pienso que Aguilar tampoco, pero Israel nunca quiso a Manuel y tenía controlado al resto del directorio.

»Ante el mandato de dirigentes que estaban sobre mí en la jerarquía del club, tuve que comunicarle a Manuel cuál era la situación. Recuerdo que se lo dije en su habitación de la concentración: "Estos hijos de puta te quieren echar, quieren que renuncies". Él, muy tranquilo, me contestó que no me preocupara, que jamás se quedaba en un lugar donde no lo querían.»

Con el ambiente muy enrarecido y el rumor de la salida de Pellegrini circulando por el camarín, River Plate solo empató 3-3 en el Monumental ante los peruanos en el duelo de ida. La revancha se jugó en la ciudad de Arequipa, a dos mil quinientos metros de altura. En un partido extraño, durante el cual los Millonarios desperdiciaron varias oportunidades de gol y el cuadro local logró sobreponerse a la expulsión de dos jugadores, el Cienciano derrotó por 1-0 a los argentinos y se coronó campeón de la Copa Sudamericana 2003.

Tras la derrota y ante el acoso periodístico, un afectado Pellegrini confirmó su alejamiento del club declarando: «Realmente estoy muy dolido, porque me voy sin poder darle a River un título internacional».

Para el periodista Hernán Castillo hubo un tema que iba más allá de las capacidades profesionales del entrenador: «Los constantes cuestionamientos a Pellegrini en River Plate fueron cuestión de piel. Jamás pudo entrar del todo por no ser un tipo del club y eso lo persiguió siempre, a pesar del título conseguido. Hoy, después de ver la carrera que el chileno ha hecho, no queda más que aceptar que fue el club el que se perdió la oportunidad de haber aprovechado más a un entrenador de nivel mundial».

Balance que comparte Andrés D'Alessandro, quien asegura que el fútbol, muchas veces, es demasiado injusto: «Lo único que vale es ganar y muchas veces, como le pasó a Manuel, un buen trabajo no se valora cuando no se levanta una copa. Creo que en su paso por River lo afectó mucho la eliminación en la Copa Libertadores frente al América de Cali y después la caída en la final de la Sudamericana, cuando habíamos privilegiado el torneo internacional en desmedro del local. Todo eso conspiró para que sus detractores le dieran muy duro. Sin embargo, el recuerdo con el que yo me quedé es el de uno de los mejores técnicos que me han dirigido. Es cosa de ver dónde ha llegado para darse cuenta».

Dieciocho meses estuvo el Ingeniero a cargo del club millonario. Un año y medio en el que no logró penetrar en el corazón del mundo River, pero se marchó con la satisfacción de haber conseguido un título, con el respeto de su plantel de jugadores y con las enseñanzas que le dejó dirigir a un cuadro de primera línea internacional, conociendo en primera persona la complicada interna y la repercusión mediática de un equipo de convocatoria multitudinaria.

UN TÉMPANO

Cuando se está frente a frente con Pellegrini es inevitable advertir el muro que el DT del Manchester City levanta frente a los periodistas. Se trata de una suerte de pared de cristal que permite verlo y escucharlo, pero que actúa como una coraza impenetrable en sus emociones más allá de lo formal.

El reportero de *El País*, Diego Torres, transita hace más de una década por los recovecos de la intimidad del Real Madrid. Conoce muy bien la presión que enfrenta el entrenador que llega al banco del Santiago Bernabéu y siguió de cerca, desde la trinchera periodística, el periplo del Ingeniero en Chamartín: «Presencié casi todas las ruedas de prensa de Pellegrini durante la temporada 2009-2010. Siempre muy respetuoso, argumentativo. Respondiendo todo, incluso las preguntas atrevidas, con una calma impactante. Era tal el nivel de su lenguaje y contenido que la mayoría de las veces terminaba convenciéndote, pero siempre desde lo racional. Y para mí al menos, esa virtud es también un problema, porque el fútbol tiene inventiva y pasión, no solo racionalidad».

Torres habla de cuando pudo entrevistar cara a cara al entrenador: «La única vez que lo entrevisté mano a mano me encontré con un tipo frío, tremendamente frío. Escéptico. Se notaba que no quería tener ningún tipo de relación personal. No le interesaba tampoco. No necesitaba ese afecto y capacidad de seducción que la gran mayoría de los técnicos o futbolistas, por una situación de conveniencia puntual, buscan entablar con el periodista en ese tipo de diálogos frente a frente».

Pellegrini ni se inmuta cuando le cuento del relato de Torres. Es más, profundiza sus argumentos para justificar su estilo: «No me manejo sobre la base de lo que opine la prensa. No soy rencoroso ni estoy pendiente de lo que digan. De todas las partes de donde me he ido ha sido con una imagen altísima. No necesito al periodismo para proyectar mi carrera».

Vicente del Bosque tampoco ha construido su prestigio sobre la base de su relación con la prensa y constituye un referente para este estilo de entrenador poco mediático.

Cuando uno le habla del DT español, Pellegrini parece congeniar en la mayoría de los conceptos que ha vertido «Bigotón» al momento de reflexionar sobre su relación con los medios, como cuando afirmó que «nunca hay que filtrar una información a un periodista por un interés personal, porque serás esclavo para toda la vida. Los silencios son, a menudo, más elocuentes que las propias palabras y tienen una virtud: nunca mienten».

Para Pellegrini, Del Bosque «tiene toda la razón. Si un técnico cae en esas relaciones está muerto», afirma convencido. El chileno se entusiasma, se ve que respeta mucho a su colega multicampeón y sentencia sus argumentos haciéndome una pregunta:

«¿Del Bosque aporta algo al show de las polémicas? Nada. Pero ahí está su extraordinaria carrera. Eso es lo importante. Por lo mismo jamás me ha afectado lo que dicen de mí, ni en positivo ni en negativo. La presión externa o mediática no existe. No siento presión de nadie. La única presión que siento es la que me autoimpongo. Esa es la única presión que me carcome y que me empuja a trabajar al máximo, para hacer mejor al equipo, para quedar contento con cómo juegan mis equipos».

Ese discurso, el Ingeniero lo ha reiterado siempre, en cuanta entrevista ha aparecido el tema y desde sus inicios como entrenador.

Felipe Vial, actual editor general de la sección deportiva del diario *El Mercurio* de Santiago, tiene una visión distinta acerca de la supuesta indiferencia del técnico hacia el bombardeo mediático.

Vial convivió con Pellegrini cuando iniciaba su carrera como reportero de Universidad Católica para el diario *La Época*. Hoy, a cargo de los deportes en el periódico más importante de Chile, recuerda sus encuentros con el técnico de Universidad Católica en 1994: «Pellegrini está mucho más conectado de lo que afirma con lo que se dice y escribe sobre su trabajo. Eso tiene que ver con la capacidad de absorber información, de estar pendiente de todo. Él lee, escucha, se informa y consume el mayor volumen de contenido futbolístico al que pueda acceder. Por eso me cuesta creer que le resbala la crítica externa. Es imposible que no le afecte y esa impresión me quedó cuando protagonicé una anécdota con él.

»*La Época* era un diario muy pequeño y político, casi sin información deportiva. Yo estaba haciendo mis primeras armas en el periodismo y en un artículo escribí, sin querer, algo errado sobre él. Tenía que ver con que habría puesto algunas trabas para facilitar sus jugadores de Católica a la selección, que en ese momento dirigía el croata Mirko Jozic. El fondo de la información publicada no tenía asidero. Me había equivocado en mi reporteo.

»Al día siguiente, cuando llegué al diario, mi jefe Marco Antonio Cumsille me contó que Pellegrini estaba furioso conmigo. Obviamente lamenté mucho mi error, pero lo que más me llamó la atención fue constatar que leía las páginas deportivas de un diario tan chico y con tan poca información futbolística como *La Época*. O sea, para mí al menos, alguien totalmente ajeno a lo que dicen los medios, como afirma él, ni se hubiera enterado de lo que aparecía en ese diario.

»Al día siguiente llegué a San Carlos de Apoquindo y él se dio cuenta. Yo estaba muy nervioso, más cuando lo vi caminando hacia mí, con esos ojos grandes que parece que se le van a salir cuando está molesto. Solo atiné a pedirle disculpas y la verdad es que fue muy gente. Me confirmó su molestia, pero también destacó que yo reconociera mi error. Desde ese día hemos tenido una relación profesional bastante fluida. O eso creo al menos.»

Distinta a la percepción de Vial sobre la postura de Pellegrini hacia el entorno, tiene Jorge Valdano, con quien me reuní en el restaurante del exclusivo Hotel Eurobuilding de Madrid. Para el argentino, el chileno no solo parece inmune a las presiones externas, sino que lo es: «Sabe poner total distancia con el medio. Aquí en Madrid sufrió agresiones desproporcionadas, faltas de respeto tremendas. Sin embargo, él ni siquiera en privado se desgastaba convirtiendo estas situaciones en tema de conversación. Se sorprendía porque ocurrían cosas que tenían que ver muy poco con el sentido común. Pero no era algo que lo desgastara ni que terminara por condicionar su calidad como entrenador», reflexiona el argentino al recordar el acoso permanente que infringió sobre Pellegrini el diario deportivo *Marca*.

Sala de trofeos

El 2 de junio de 2009 en Madrid, más de un centenar de periodistas estábamos en el palco de honor del estadio Santiago Bernabéu durante la jornada en que Florentino Pérez presentó a Manuel Pellegrini como técnico del Real Madrid.

Aquel día, el polémico presidente del club afirmó que el chileno era «un profesional inteligente, ponderado, trabajador. Sus equipos cuidan la pelota y proponen siempre un fútbol elegante y de buen gusto».

Como invitado de honor a la ceremonia, el mítico presidente honorario, Alfredo Di Stéfano, posaba junto al nuevo DT. La expectación periodística era inmensa. Una atmósfera habitual en la rutina madridista.

Pellegrini llegaba a la «Casa Blanca» gracias a sus extraordinarias campañas al mando del Villarreal, un equipo modesto, de una ciudad pequeña y sin gran historia futbolística, pero que de la mano del chileno había alcanzado destacada figuración en el fútbol español y europeo durante las cinco temporadas en las que lo dirigió el Ingeniero (2004-2009).

Al día siguiente de aquella presentación masiva, la media docena de periodistas chilenos que viajamos a Madrid para informar sobre la llegada del entrenador a Chamartín, recibimos un llamado de la gerencia de comunicaciones del club para citarnos a un encuentro privado con el técnico. La idea era que el DT tuviera un diálogo más íntimo con la prensa de su país.

La cita fue en uno de los tantos salones de reuniones del Bernabéu. Lo particular es que se trataba de la sala de trofeos, en la que alrededor de una gran mesa de madera lacada lucían, en unas imponentes vitrinas, decenas de copas ganadas por el club en su centenaria historia. Intimidante.

Pellegrini, como siempre, fue educado y distante al mismo tiempo.

Consciente de la importancia que ha alcanzado en la historia del fútbol chileno, accedió a ese diálogo abierto con sus compatriotas periodistas, pero sin grandes confesiones ni demostraciones de empatía, simplemente asumiendo sus responsabilidades comunicacionales como nuevo entrenador del Real Madrid.

Tras media hora de conversación, cuando comenzaba a despedirse del grupo y la charla ya se desarrollaba con los micrófonos apagados, le hice una pregunta que tenía relación con la nueva realidad mediática que encontraría en el cuadro merengue. El salto que estaba dando era inmenso: desde la tranquilidad y virtual anonimato del Villarreal, llegaba a encabezar una de las cajas de resonancia comunicacionales más grandes del mundo. Una plataforma de presiones, exposición pública y evaluación diaria que Pellegrini, a niveles similares, solo había experimentado en su paso por River Plate.

—Usted en Argentina conoció por dentro el acoso de un sector de la prensa que jamás le perdonó su estilo reservado y sin grandes privilegios para el trabajo periodístico. Ahora que llega al Real Madrid, ¿piensa tomar en cuenta esa experiencia con River y abrirse un poco más con los medios?

—A esta altura de mi vida no voy a cambiar mi manera de ser. Además, parece que tan mal no me ha ido con ser como soy, ya que acabo de firmar por el Real Madrid.

Claramente mucha razón tenía Pellegrini aquella mañana en el Santiago Bernabéu. Sonaba hasta impertinente, dado el recorrido del protagonista de la historia, cuestionar de alguna manera el manejo mediático del entrenador que recién había estampado su firma en el «mejor club del siglo xx» según la FIFA.

Pero el comentario no pretendía ser un reproche o actuar como consejo. Simplemente buscaba conocer si el chileno mantendría en Madrid su mismo estilo o si, dada la magnitud del escenario donde llegaba, tenía pensado establecer una estrategia distinta ante el acoso mediático que se le vendría encima.

La cena

En un resultado muy «mentiroso» por al trámite que había mostrado el partido, la selección española acababa de derrotar por 3-0 a Chile en un amistoso en el estadio El Madrigal de Villarreal.

Era la noche del 19 de noviembre de 2008 y en la tribuna del recinto, Manuel Pellegrini, el técnico «dueño de casa», presenciaba el accionar de los combinados de sus colegas Vicente del Bosque y Marcelo Bielsa.

Enterado de que la gira de la selección chilena había hecho coincidir al Ingeniero y al «Loco» en la misma ciudad, Jorge Valdano, quien estaba a pocos meses de transformarse en el director deportivo del Real Madrid, contactó a Jesús Martínez, representante del Ingeniero, para que organizara una cena con los dos destacados técnicos.

Martínez se movió rápida y sigilosamente. Conocidos el secretismo comunicacional de Bielsa y la sobriedad mediática del DT del Submarino Amarillo, el agente recuerda que optó por reservar un privado en el restaurante Aragón 58 de Valencia, eludiendo a la prensa chilena que estaba instalada en Villarreal: «Fue un encuentro de camaradería, muy agradable. Una charla de alto vuelo futbolístico con tres personajes históricos del fútbol sudamericano, como Jorge, Manuel y Marcelo. Invité también a Santiago Segurola, un periodista deportivo español muy serio y preparado. Fue una velada interesantísima para los que nos gusta el fútbol y que tuvo su punto de inflexión al inicio, cuando Bielsa llegó repartiendo libros de diversos autores. No eran textos de fútbol, sino que novelas, biografías y ese tipo de géneros. Dijo que nos traía los libros de regalo para que los disfrutáramos tal como lo había hecho él al leerlos».

Hasta esa noche en Valencia, Valdano no había compartido con Pellegrini más allá de un saludo protocolar en algún evento deportivo. Hombre de fútbol y radicado en España, obviamente conocía al dedillo la carrera del técnico chileno, pero la cena en el Aragón 58 le sirvió para profundizar en el estilo y manejo del Ingeniero. «El contacto personal siempre es muy importante para saber si hay sintonía o no. Si existe la posibilidad de llegar a consenso. Me quedó claro que se trataba de un tipo dialogante. Que se podía conversar de todo. Que no se plantaba intransigente en una posición, tenía puntos de vista abiertos y un extraordinario nivel de preparación».

Seis meses después de aquella cena, el argentino ya estaba instalado en su rol de director deportivo merengue de la mano de Florentino Pérez, quien iniciaba su segunda etapa en la presidencia del Real Madrid. El club venía saliendo de una dura crisis interna, debido a la enconada rivalidad de Pérez con su antecesor, Ramón Calderón, y tras la reestructuración institucional llegaba el minuto de armar el plantel, comenzando por elegir al nuevo entrenador.

Fue en ese minuto que la cena con Bielsa cobró utilidad para Valdano: «En el club había interés por los servicios de Arsène Wenger, pero el francés estaba muy cómodo en el Arsenal y no pretendía cambiar el confort de la liga inglesa por el nivel de tensión superior que significa dirigir al Madrid. Fue en ese minuto que surgió automáticamente el nombre de Manuel, sabíamos lo que estaba haciendo en Villarreal y yo tenía en la memoria la impresión que me dejó cuando cenamos en Valencia con Bielsa».

—¿Florentino Pérez estuvo de acuerdo con su idea?

—Totalmente de acuerdo. Incluso consideró que existía una sintonía entre los estilos y propuestas de Pellegrini y Wenger, ambas con un fútbol elegante y una personalidad equilibrada.

—Y usted, ¿cómo fundamentaba su idea de que Pellegrini estaba en condiciones de dar el salto del Villarreal al Real Madrid?

—Yo tengo una sensibilidad futbolística que me ha resultado innegociable durante toda mi vida. Y dentro de esa sensibilidad no caben cien entrenadores, caben pocos. Una vez le pregunté a Johan Cruyff [destacado ex futbolista y técnico holandés] por qué no había más entrenadores que apostaran por un fútbol de ataque, más creativo y más protagónico. La respuesta fue muy simple: «Porque para eso hay que saber». Una cosa es construir un equipo en el que siete defienden y tres se sueltan, y otra cosa es construir un equipo en el que todos intentan jugar. Bueno, esos proyectos los defienden algunos entrenadores que no son mayoría, y para mí Pellegrini es uno de ellos.

ATERRIZAJE FORZOSO

Concretada la firma del Ingeniero en la ceremonia del 2 de junio en Madrid, había que empezar a estructurar el millonario plantel que el presidente Florentino Pérez tenía en mente para competir con el archirrival Barcelona, cuadro que venía de ganar la Liga Española, la Champions League y la Copa del Rey (es decir, todo lo que disputó), de la mano de Josep Guardiola en la temporada anterior (2008-2009).

El proyecto de Florentino no solo pretendía un equipo que retornara a los triunfos compitiéndole al mejor Barça de la historia, también presentaba una matriz destructiva, según el director del diario deportivo *As* de España, Alfredo Relaño: «Florentino es un destructor permanente de su competencia. Y no solo contra los rivales del Madrid, también en la interna. Creo que él se asustó mucho con la posibilidad de que Calderón lo hiciera muy bien en la presidencia y volvió con la idea de barrer con todo, de partir de cero encabezando un Madrid grandioso que se diferenciara de su antecesor y que destruyera el éxito del Barcelona».

Claramente el estilo templado de Manuel Pellegrini parecía chocar con los intereses de trinchera de su presidente, quien lideraba un club obsesionado por acabar con la supremacía mundial de su rival catalán. Según Diego Torres, redactor deportivo de *El País*, para hacer un balance del corto paso de Pellegrini por el Real Madrid es imperioso entender el contexto del club al momento de su llegada, en junio de 2009: «El Madrid estaba en crisis. Florentino había conseguido destruir al presidente anterior, operando campañas de propaganda mediática y acusaciones de delitos, aprovechando su influencia en algunos medios, los que denunciaron a Ramón Calderón por supuestos fraudes. Todas las noches aparecían con algo nuevo. Así, Calderón dimitió y llegó Pérez con dos objetivos: reformar por completo el vestuario, echando a las viejas glorias para hacer una limpieza, y poner a sus jugadores, los que él trajera, para reconquistar la hegemonía perdida y restituir al Madrid como el primer club del mundo.

»Por primera vez en su historia, el Madrid tenía un complejo de inferioridad desatado, que generaba mucha angustia dentro del club y una violencia soterrada. La idea de que había que reconquistar el terreno perdido como sea, aunque fuera contra las normas de convivencia, fue erosionando la estabilidad del club.»

Con ese marco, Pellegrini comenzó a estructurar su plantel junto a Valdano y el director deportivo, Miguel Pardeza. Aunque la millonaria política de incorporaciones ya había sido determinada por el presidente con las contrataciones de Cristiano Ronaldo (Manchester United), el brasileño Kaká (Milan), el francés Karim Benzema (Olympique de Lyon) y el español Xabi Alonso (Liverpool), los cerca de trescientos millones de dólares de inversión aseguraban un contingente de estrellas de nivel mundial.

Valdano reconoce que en la toma de decisiones sobre los fichajes del Real Madrid la influencia directa del entrenador fue —y es— menor, debido a la estructura y al presupuesto del club, pero que obviamente el material que se le estaba entregando al técnico era de primera línea, a pesar del evidente desbalance futbolístico que había por la gran cantidad de jugadores ofensivos que se estaban integrando.

Pellegrini acató las contrataciones del presidente Pérez, pero cuestionó las salidas de Arjen Robben y Wesley Sneijder, quienes fueron transferidos a pesar de los deseos de permanencia que había manifestado públicamente el técnico en relación a los dos holandeses. Una situación que generó cortocircuitos entre Florentino y el DT, según Pardeza: «Lo que se produjo fue una confrontación entre lo que podían ser intereses netamente deportivos y los que eran también intereses deportivos, pero englobados dentro del punto de vista económico. En ese ejercicio de equilibrio, evidentemente pueden aparecer diferencias, más cuando el presidente impulsó una renovación muy agresiva de la plantilla, lo que supuso una dificultad a la hora de unificar los criterios».

El punto de máxima tensión en esa pretemporada se produjo en la previa de un amistoso en San Sebastián entre la Real Sociedad y el Real Madrid. Robben y Sneijder fueron utilizados por Pellegrini a pesar de las advertencias que venían desde la presidencia del club, la que ordenó que ambos jugadores no fueran utilizados, ya que estaban en el mercado de fichajes. El DT le manifestó a Valdano que las decisiones en la cancha las tomaba él y que al parecer el club se había equivocado de entrenador si pensaba que iba a aceptar ese tipo de instrucciones.

Así, recién formalizado el lazo contractual con Pellegrini, Valdano quedó en la incómoda posición de ser el único puente comunicante entre el presidente y el entrenador del club: «Aquella situación creó alguna distancia entre las partes y toda la relación con lo deportivo la llevaba exclusivamente yo. El contacto entre el club y Manuel lo llevaba yo personalmente. Hubo que tratar de limar las asperezas y llevar tranquilidad. Ser un factor de equilibrio dentro del club. No fue una labor cómoda la del director deportivo y la de director general en un momento así, menos en un régimen tan presidencialista como el del Real Madrid. Entonces, uno estaba al medio de dos grandes influencias tratando de provocar una conciliación permanente».

Once meses después de su llegada a Madrid, cuando fue destituido por Florentino Pérez en mayo de 2010, el propio Pellegrini reconocía que le «hubiera gustado tener una relación más fluida y cercana. La verdad es que no lo conozco ni como persona ni como dirigente».

Han pasado más de cinco años desde su salida de Chamartín, y las positivas experiencias en Málaga y Manchester le han servido a Pellegrini, y al medio, para analizar mejor su paso por el Real Madrid.

Hoy la falta de conexión con Florentino Pérez parece una anécdota y en paralelo a la charla futbolística con el chileno, el presidente del Real Madrid acaba de despedir al italiano Carlo Ancelotti, el duodécimo técnico del club en quince años.

La otra vez convulsionada coyuntura merengue sirve como excusa para volver a preguntarle a Pellegrini sobre su polémico ex jefe: «Tendría que hablar muchas cosas del Real Madrid…

Creo que es un gran proyecto, la idea es fenomenal, Florentino engrandeció mucho al club, pero ha fracasado por la incapacidad de entender que puede ser muy buen empresario o ingeniero, pero que no sabe nada de fútbol, ya que no ha vivido toda su vida en torno a él. Ver fútbol es muy distinto a ser técnico. Yo no puedo decirle qué hacer a un director de orquesta por haber escuchado mucha música».

El estilo Pellegrini

«Es tan raro que hasta parece una persona normal», escribió Santiago Solari sobre Manuel Pellegrini en su columna del diario *El País*, en noviembre de 2011.

El destacado ex jugador dedicaba su espacio semanal —«Al otro lado del charco»— a la figura del, en ese momento, técnico del sorprendente Málaga.

Según Solari, el chileno «llama la atención por su pasiva actitud durante los partidos, en los que generalmente se lo ve sentado, contemplativo, esgrimiendo alguna indicación puntual solo cuando es oportuno. Nunca gritando [...] Una moderación que desconcierta a la audiencia futbolera, que si no ve sangre derramada desde la cima de la pirámide descree del poder del líder [...] Una convicción que comparte con otro tipo raro del fútbol: Vicente del Bosque».

El propio Del Bosque coincidió en *Palabra de entrenador* con la definición de Solari: «Pellegrini es un técnico con el que me siento muy próximo, en el sentido de entender que el adiestrador tiene que ofrecer una imagen responsable al borde del campo, las ruedas de prensa y en todo momento. No comportarse como un caradura».

Pellegrini ha mantenido esa forma de ser durante sus veintiséis años como entrenador profesional. Ha sido una de las características con las que llegó, y se mantiene en la élite del fútbol internacional.

Sin embargo, esa misma característica, resaltada positivamente por la gran mayoría de sus dirigidos en todos los equipos que le tocó encabezar, también se ha convertido en un foco de crítica y resistencia por parte de los hinchas más recalcitrantes. Y también de alguna prensa ávida de entrenadores con mayor sentido del espectáculo, amigos de la gestualidad llamativa y de la dialéctica confrontacional.

Pellegrini es la antítesis de los técnicos habituados a convivir en una relación cercana con determinados medios o periodistas. Ni siquiera en el proceso que significó el desarrollo de este libro, dedicado precisamente a su trayectoria, mutó ese comportamiento y tuve que ser muy insistente para que me permitiera entrevistarlo en profundidad: «Si te doy un trato distinto estaré siendo injusto con otros periodistas. No eres el primero que me pide juntarse por un libro y, como te comenté el primer día que te recibí en Manchester, no me he reunido con nadie más porque hoy no está en mis planes participar en este tipo de proyectos literarios».

Pero al final ahí estábamos conversando frente a frente en esa jornada invernal santiaguina. Seguramente de tanto insistir, y tras recibir decenas de mensajes de los más diversos personajes con los que alguna vez compartió y ahora lo alertaban sobre mis entrevistas, nos encontrábamos hablando de todo, incluida la aparente urticaria que le producían los periodistas:

«Tengo muchas discrepancias con el periodismo, pero lo respeto mucho también. Entiendo las dinámicas que lo rigen. Sé que la polémica vende y que al final los periodistas deben lidiar con esa realidad. Pero uno de mis mayores orgullos es no depender de la prensa, haberme manejado de una sola manera: la más difícil. A todos los periodistas los atiendo igual. No los ando llamando. Mantengo mi independencia.»

Independencia, según el técnico. Desinterés y hasta desprecio, según algunos críticos del «estilo Pellegrini».

Una forma de manejarse que el entrenador definió desde sus primeros años sentado en una banca, cuando tuvo que sobreponerse al descenso con Universidad de Chile para iniciar el largo camino que lo llevaría a dirigir desde equipos modestos y sin recursos hasta gigantes planetarios sin límites presupuestarios.

Un estilo impersonal que, a mi juicio al menos, y sobre todo en sus experiencias en el Monumental de Núñez y el Santiago Bernabéu, le ha significado una actitud hostil de parte de una prensa que se dedicó a cuestionarlo más allá del rendimiento futbolístico.

A pesar de su actitud distante, varios periodistas que han compartido en diversas épocas con el Ingeniero afirman que ha tenido gestos inéditos.

«Me tocó entrevistarlo cuando estaba en Villarreal. Me encontré con un hombre educado, pero que marca distancias y poco dado a compartir con periodistas. Me pareció una persona muy estable y enamorado de su profesión», relata Orfeo Suárez en su despacho del diario *El Mundo* en Madrid. «De él me marcaron dos cosas. Primero una frase futbolera luminosa que me entregó en esa entrevista: "El que lleva la pelota, muy despacio; los demás, muy rápido". Me pareció un concepto que refleja la mezcla perfecta entre el talento y la pausa del fútbol sudamericano y la intensidad del europeo.

»Lo segundo que encontré increíble, y nunca me había ocurrido con un entrenador, fue cuando al día siguiente de ser destituido del Real Madrid por Florentino Pérez, recibí una llamada suya: "Soy Manuel Pellegrini, me dijo. Solo quería despedirme, regreso a Chile. Que tenga mucha suerte". Fue insólito, yo no tenía una relación cercana con él, pero lo sentí como un reconocimiento a mi trabajo. Un detalle que habla muy bien de él.»

La anécdota de Suárez coincide con otra ocurrida quince años antes, cuando el DT dejó la banca de Universidad Católica. Patricio Morales, reportero de la revista *Don Balón* Chile en 1996, recuerda: «El día de su desvinculación, al contrario de casi todos los técnicos que cuando se van salen escondidos en un auto por la puerta de atrás, caminó lentamente adonde estábamos todos los periodistas que íbamos a diario al complejo de San Carlos de Apoquindo y se despidió uno por uno. Nos estrechó la mano y nos agradeció por nuestro trabajo. Yo eso nunca lo había visto, ni tampoco me pasó después».

La historia de Morales nos sitúa en uno de los momentos más duros en la carrera del Ingeniero: su salida de Universidad Católica a mediados de 1996.

Durante su paso por el cuadro cruzado, Pellegrini comenzó a afrontar públicamente, y con total franqueza, sus desavenencias con algunos sectores de la prensa. En una extensa entrevista publicada por la revista *Don Balón*, el entrenador afirmaba: «Soy crítico con la crítica que se basa en la ignorancia. Cuando veo que el periodista no se ha informado de nada, reacciono negativamente. Creo que en el último tiempo ha habido una generación de técnicos jóvenes que le han exigido más al periodismo. Con todo, pienso que a los periodistas deportivos les falta mucho».

«Lo que ocurre es que para Pellegrini y ese tipo de técnicos que se formaron con Fernando Riera, es inaceptable la poca preparación que algunas veces demuestra el periodismo deportivo. Por eso prefieren mantener distancia», explica Danilo Díaz.

Periodista de medios escritos y comentarista radial, Díaz fue director de la versión chilena de la revista *Don Balón* y es muy cercano al ex entrenador de la selección, Arturo Salah, gran amigo de Pellegrini. «Ellos son técnicos con una gran preparación intelectual y se han tomado el fútbol con mucho profesionalismo, por lo mismo detestan el simplismo de algunos medios que solo buscan el show fácil. Pero al mismo tiempo, Salah como entrenador de la selección y Pellegrini como su ayudante, fueron los primeros en profesionalizar el trabajo periodístico en Juan Pinto Durán, estableciendo espacios obligatorios de atención a la prensa, organizando el acceso a los entrenamientos, etcétera. Ese método que impusieron, y que en Europa se utilizaba desde hacía mucho tiempo, también generó anticuerpos en algunos medios, ya que previo a Salah todo era muy informal, y dependía de las simpatías que determinados periodistas despertaran o no en técnicos y jugadores a la hora de tener acceso a la selección».

Aquella relación distante, pero profesional con el medio, la conoció por dentro Luis Rodoni, preparador físico que trabajó por más de una década con Salah y que también se perfeccionó profesionalmente fuera de Chile, en el curso de entrenadores de Coverciano, sede de las selecciones italianas, misma instancia en la que estuvieron preparándose Pellegrini y Salah en 1986.

Tras una larga trayectoria en Chile, Rodoni se mueve a sus anchas en el restaurante del complejo del Torino, cuadro de la primera división del Calcio. En ese club, el preparador físico integra el cuerpo técnico de una de las instituciones con mayor tradición del fútbol italiano. «Es cierto que Arturo y Manuel marcaban distancia con los medios», dice. «Además, por su carácter y forma de ser en la faceta pública, siempre generaron rechazo, ya que parecen sentirse superiores al resto, gracias a su nivel de preparación sobre la media. Esa percepción también provocó recelo entre muchos entrenadores chilenos, quienes se sentían menospreciados por estos dos ingenieros que marcaban distancia. Mirando ahora en perspectiva, y tras haber sido parte de esa etapa, creo que fue un error de ambos cultivar un estilo tan frío, del que yo también fui parte en todo caso».

El propio Salah reconoce lo problemática que fue su relación, y la de Pellegrini, con el medio durante los años noventa: «Fue muy duro, desgastante. Ni hablar lo que me cuestionaron cuando llevé a Manuel como ayudante a la selección. A pesar de sus buenas campañas en Palestino y O'Higgins, la prensa lo seguía criticando por su descenso con la U. Nosotros pagamos un precio muy alto por intentar profesionalizar la actividad desde nuestra posición en la Unidad Técnica Nacional. Estuvimos a cargo de todas las selecciones nacionales, los cursos de entrenadores, la formación de monitores, etcétera. En aquellos años hubo mucha incomprensión, y quizá con Manuel, y en especial yo que soy más pasional que él, nos enredamos en conflictos inútiles. Sin embargo, creo que tras el paso de los años el medio ha valorado el trabajo que hicimos».

Marca personal

Marca es el periódico deportivo más importante de España, país donde la prensa especializada, en su gran mayoría, posee una línea editorial militante que depende de la ciudad donde se edita el diario.

Sport y *Mundo Deportivo* de Barcelona, por ejemplo, concentran un altísimo porcentaje de sus noticias en el equipo de Lionel Messi, imprimiéndole a la cobertura blaugrana un sello de identificación absoluta con el club catalán.

El mismo estilo tiene *Marca*, pero al ser editado en Madrid, su mirada apunta principalmente al Real Madrid y, en menor medida, al Atlético de Madrid.

El capitalino diario *As* también sigue aquella tendencia editorial, pero con un sello bastante más templado que el de *Marca*, periódico que no hace ningún esfuerzo por diferenciar entre el periodista deportivo y el aficionado fanático.

En España aquella frontera es permanentemente traspasada en la entrega de la prensa escrita. Un tratamiento noticioso que es seguido con entusiasmo por la afición.

Convertido en el diario deportivo en español más leído del mundo, y con un inmenso despliegue de contactos y recursos destinados al seguimiento del Real Madrid, *Marca* posee una influencia innegable en el devenir del club merengue, determinando, en parte importante, las percepciones de la hinchada madridista respecto a su club.

Aquella influencia mediática es un hecho asumido en la interna del Bernabéu, por lo que en los últimos años muchos dirigentes, jugadores y técnicos han generado lazos importantes con *Marca*. Comenzando por el personaje central de la última década del Real Madrid: Florentino Pérez, su multimillonario y polémico presidente.

Alfredo Relaño, director de *As*, el otro gran periódico deportivo hispanoamericano, me recibe en las oficinas del diario en una primaveral jornada de domingo en Madrid. Acompañado por varios colaboradores, uno de los periodistas deportivos más importantes de España me invita a la sala de reuniones, donde junto a un grupo de redactores está siguiendo por televisión el duelo entre el Barcelona y la Real Sociedad.

La Liga 2014-2015 vive sus últimas fechas y el Real Madrid tiene mínimas chances de alcanzar al líder Barcelona. Para que eso ocurra, los catalanes deben perder puntos y el 0-0 ante los vascos, promediando la segunda etapa, tiene muy entusiasmados a Relaño y sus colegas.

Así viven el fútbol los periodistas en España: con la camiseta puesta.

Al final, los goles de Neymar y Pedro terminan con el momentáneo entusiasmo de Relaño. El 2-0 en el Camp Nou me devuelve la atención del director de *As*.

—¿Cuál es la imagen que le quedó del paso de Manuel Pellegrini por España?

—Dejó un extraordinario recuerdo. La imagen de un hombre educado, derecho, con un gran respeto por el fútbol bien jugado. Con éxitos notables en sus pasos por el Villarreal y el Málaga, y un paso demasiado breve por el Real Madrid que, a mi juicio, pareció un poco injusto.

—En *As* ustedes fueron muchas veces críticos, pero tuvieron un trato respetuoso con Pellegrini durante su paso por el Real Madrid. Totalmente distinto a lo que ocurrió con *Marca*. ¿Les llamaba la atención, como competencia directa, la beligerancia de *Marca* contra el chileno?

—No me gusta hablar mucho de eso por razones obvias, pero claramente me parecía exagerado el trato que le daban a Pellegrini. Hubo un hostigamiento en contra de él y nosotros no lo hicimos en *As*. Uno puede tener distintos criterios, pero aquel tipo de crítica no nos parecía justa. Para mí, a Pellegrini, parte de la prensa lo venía persiguiendo desde mucho tiempo antes.

En su relato, Relaño hace referencia a la permanente agresividad de *Marca* contra el Ingeniero, un trato que tuvo en las editoriales de Eduardo Inda, director del periódico en ese momento, su máxima expresión.

Portadas con títulos como «Estás despedido, Manolo», «Adiós, Pellegrini» o «¡Fuera!», marcaron el estilo que Inda le imprimió a la cobertura del entrenador merengue. Un estilo que Diego Torres, al igual que Relaño, justifica en la complicidad de Inda con Florentino Pérez: «Inda no es un periodista, es un personaje. Un polemista absurdo mucha veces. Un obsesionado con el conflicto artificial. Florentino, siempre ha intentado —y muchas veces con éxito— influenciar a la prensa, transformándola en su brazo armado comunicacional para conseguir el desprestigio de sus enemigos o la consecución de sus intereses. Él vio en Inda un aliado ideal para desestabilizar a Pellegrini, con quien tuvo nula sintonía.

»Pellegrini sufrió con los mensajes que Florentino le envió a través de la prensa con periodistas afines. Al presidente le gusta opinar de todo y muchas veces manda sus recados de si debe jugar este u otro jugador, o criticar al técnico por alguna decisión mediante los diarios. Eso lo vivió Pellegrini y ahí, desde luego, hubo hasta un acoso en contra del entrenador.

»En todo caso esa situación no tiene nada de extraña para los entrenadores de Florentino. Él siempre quiere ser entrenador y presidente al mismo tiempo. Con él, los técnicos deben intentar equilibrar las necesidades del equipo con la presión que ejerce para que jueguen las grandes contrataciones que él hace y que no siempre hacen falta.»

Para Pardeza era evidente que el acoso mediático sobre el entrenador merengue era tema de preocupación en la interna, aunque el chileno lo asumía con total indiferencia: «Yo hablaba con él sobre el acoso periodístico de algunos medios, pero Manuel jamás me pidió intervenir, hacer alguna llamada o mediar para recibir un trato más respetuoso. Pellegrini es un tipo capaz de manifestar sus desacuerdos de una manera muy equilibrada y, como hombre de fútbol, sabía que hay lenguajes de los que no nos podemos librar. Creo que, dentro de todo, entendía que esas eran las reglas del juego en un club como el Madrid».

El caso de Inda no constituyó una novedad en la carrera del Ingeniero. En su cuarto de siglo sentado en la banca, el DT tuvo en Chile, Argentina y España enemigos acérrimos, que mantuvieron un discurso agresivo y de hostigamiento permanente que fue mucho más allá de la tradicional crítica periodística.

Hoy, con el paso de los años, Pellegrini sigue sin darle importancia a quienes fueron sus principales detractores. Claramente no le interesa el tema, pero al momento de enfrentarlo, sin inmutarse, reitera que le tiene mucho respeto al periodismo, aunque matizando con una afirmación contundente: «En el periodismo, como en todas las profesiones, también hay tipos que se comportan como delincuentes».

Merengue en blanco

«Si se analiza con tranquilidad esa temporada, es evidente que el 99 por ciento de los equipos que alcanzan los 96 puntos en una liga salen campeones, pero al frente estaba un gran Barcelona al que le dimos pelea hasta la última fecha. No tuvimos fortuna, no se pudo. Mientras que en la eliminación de la Copa del Rey no estuvimos a la altura de lo que es el Real Madrid y en la Champions League creo que no avanzamos porque el plantel no estaba maduro, era un proyecto que recién se armaba por la cantidad de jugadores que habíamos llegado al inicio de la temporada.»

Con la misma claridad que maneja el balón y los tiempos en la mitad de la cancha, Xabi Alonso sintetiza certeramente, y en solo nueve líneas, lo que fue la temporada de Manuel Pellegrini a cargo del Real Madrid, un club donde es casi imposible sostenerse sin haber conseguido un solo título en un año, como le ocurrió al chileno.

Pellegrini fue capaz de gestionar una plantilla millonaria, con estrellas del máximo nivel e imprimirle su tradicional propuesta de buen juego al equipo, pero no fue suficiente.

Récord absoluto de puntos para el Real Madrid (96) hasta ese momento, marca, aún vigente, de mayor número de triunfos de local con dieciocho partidos —de un total de diecinueve— en el estadio Santiago Bernabéu, con 102 goles a favor y una diferencia positiva de 64 goles y, en general, un respaldo mayoritario de la hinchada y las redes sociales a la hora de evaluar la continuidad del técnico al término de la temporada.

Números y antecedentes positivos pero insuficientes para sostenerse. Más aún cuando no existía una relación fluida con la máxima autoridad del club y menos si esta posee un liderazgo personalista como el de Florentino Pérez. Una falta de fiato notoria y pública, que de una otra forma pudo haber interferido en la interna del plantel, según Diego Torres: «Es muy difícil que no se contagie ese sentimiento cuando el club está tan centralizado en la figura de su presidente. Y si este, además, comenta reiteradamente que no está contento con su entrenador… Bueno, es obvio que ese mensaje desestabiliza. Pellegrini tuvo muy clara esa situación desde mucho antes del final de la Liga, por eso tiene aún más valor su actitud impecable: jamás ventiló alguna situación, ni salió quejándose en una rueda de prensa, por eso se ganó el respeto de los jugadores».

En la interna del camarín se asumía, como ocurre siempre en el Real Madrid, la presión que tenía el técnico. Sin embargo, Raúl González afirma que uno de los méritos del entrenador fue mantenerse firme y convencido de su trabajo: «Él tenía una actitud muy positiva en el vestuario y eso siempre es un aporte para el jugador. Si tú lo veías un lunes después de una derrota, él jamás se mostraba devastado o dubitativo, llegaba y mantenía sus convicciones asegurándonos que de los momentos difíciles se salía conservando nuestro estilo, nuestro sistema y nuestra manera de ver el fútbol».

Raúl fue titular en la nefasta jornada del 27 de octubre de 2009, cuando el modesto Alcorcón de la tercera división española le propinó un vergonzoso 4-0 al Madrid. Para Pellegrini se trató de «una vergüenza de la que me siento responsable, ya que no fui capaz de transmitirle al equipo la responsabilidad de afrontar ese partido con la misma actitud de siempre», como declaró tras el duelo que a la postre significaría la eliminación de los merengues de la Copa del Rey por diferencia de goles, ya que en la revancha el Real no pasó del triunfo por 1-0.

«Esas cosas pasan en el fútbol», reflexiona Raúl. «Fue uno de esos partidos en los que el rival marca cada vez que te llega y tú arriba no haces daño. No creo que haya sido exclusiva responsabilidad de Manuel, se dio nomás. Son situaciones que ocurren de tarde en vez».

La derrota que recuerda el atacante consolidó los fuertes cuestionamientos de una parte minoritaria, pero poderosa, de la prensa deportiva española en contra del técnico. Estandarte de esa reprobación constante fue *Marca*, que al día siguiente de la caída ante el Alcorcón tituló en primera página «¡Vete ya!», a pesar de que a esa altura de la temporada recién se disputaba la novena fecha de la Liga, el Madrid se ubicaba a solo un punto del líder Barcelona y seguía en competencia en la Champions.

Obsesionado por un título internacional que le era esquivo desde la temporada 2001 y tras cinco eliminaciones consecutivas en octavos de final (ante Liverpool el 2009, Roma el 2008, Bayern Munich el 2007, Arsenal el 2006 y Juventus el 2005), el 7 de abril de 2010 el Real Madrid no pasó del empate 1-1 en el Bernabéu ante el Olympique de Lyon y completó su sexta despedida consecutiva en la segunda ronda de Champions League.

Tras la eliminación en la Copa del Rey, el revés en Europa encendió aún más la hoguera de *Marca* contra el chileno, quien fracasaba en su intento por avanzar más allá de la etapa de octavos que se había transformado en una maldición para el cuadro merengue. El periódico deportivo volvió al ataque con todo y escribió en primera página: «Adiós, Champions. Adiós, Pellegrini. ¡Fuera!». A esa altura de la Liga, la jornada treinta y a ocho del final, el Madrid seguía en carrera por el título compartiendo la punta de la tabla con el Barcelona.

Sin embargo, la suerte del chileno ya estaba echada, independientemente de si ganaba la Liga o no. Florentino ya había puesto sus ojos en José Mourinho y, tras la eliminación de la Champions, se inició la cuenta regresiva para el desenlace del 26 de mayo, cuando el Real Madrid oficializó la destitución del Ingeniero. Tras su despido, afirmó que lo esperaba hace mucho: «Con Florentino no hablaba desde agosto del año pasado. Creo que me iba igual, ya que mi salida no dependía de si ganaba un título o no. Si ganaba la Liga, igual me iba. Sabía que los técnicos duraban poco en el Real Madrid; en los últimos diecisiete años el club ha tenido diecisiete. Me voy tranquilo porque para mí este era un desafío importante y no me arrepiento de haberlo tomado. Sé cuáles son las reglas del juego cuando en una institución como esta no se obtiene ningún título».

Como siempre, el Ingeniero asumía todo con mucha tranquilidad y en su faceta pública siempre ha negado un sentimiento de frustración especial por su corto paso por el Bernabéu. Pero no son pocos los cercanos que afirman que le costó mucho asimilar el golpe, ya que sentía que en Madrid podría haber encabezado un proyecto importante y exitoso si le hubieran dado más tiempo.

Más allá de la extensión de su permanencia en el Real Madrid, el DT tuvo la oportunidad de llegar a una de las bancas más importantes del mundo, transformándose en el único chileno, y apenas en el octavo sudamericano en más de 105 años de historia, en lucir el escudo madridista en el buzo de técnico.

Fue la realización de un sueño que veinticinco años antes, cuando era entrenador de Palestino, le había compartido a Caupolicán Peña, el presidente del Colegio de Técnicos de Chile, según relata el ex entrenador de la selección chilena: «Venía muy seguido a mi restaurante a conversar de fútbol con Arturo Salah. Estaba recién comenzando después del descenso con la U y un día, de la nada, me dijo: "Caupolicán, sé que algún día voy a llegar a ser técnico del Real Madrid". Yo lo quedé mirando y no me quedó más que reírme internamente. Para qué te voy a decir cómo me acordé de esa frase cuando lo vi al lado de Di Stéfano cuando lo presentaron en Madrid».

CAPÍTULO 8

La cosecha

«Chica bonita»

José Manuel Llaneza, director deportivo del Villarreal Club de Fútbol, tenía la misión de encontrar un técnico que calzara en el proyecto deportivo que soñaba construir Fernando Roig, destacado empresario que desde 1998 controlaba la propiedad del Submarino Amarillo, un equipo modesto, de una ciudad pequeña y con una breve historia en la Primera División española.

Corría el mes de marzo de 2004 y Llaneza, un confeso admirador del fútbol sudamericano, viajó a Buenos Aires a convencer al hombre que había elegido para hacerse cargo del equipo: Manuel Pellegrini.

El dirigente venía siguiendo con atención el desempeño del chileno durante su paso por San Lorenzo y River Plate, es decir, tenía en órbita al Ingeniero desde hacía un buen tiempo y por eso no dudó en contactar a Jesús Martínez para que le consiguiera una reunión con su representado. Llaneza sabía que Pellegrini había quedado libre tras desvincularse de River, y pensó que era el momento justo para abordarlo cuando Roig lo mandató para que contratara a un nuevo entrenador.

Con un libro de estadísticas en la mano como ayuda memoria y entusiasmado por el recuerdo de los años de Pellegrini en el Villarreal, el hoy vicepresidente de la institución inicia la charla en su despacho de la ciudad deportiva del club: «Más allá de los méritos futbolísticos que había demostrado en Argentina,

221

a mí lo que me cautivó fue su estilo centrado y correcto. Era un tipo que demostraba total dominio en las conferencias de prensa y mucha confianza en sí mismo, por lo que siempre me llamó la atención. Cuando le hablé de su nombre al presidente [Roig], no tenía idea de quién era, no le convencía en un principio por su falta de experiencia en Europa, pero eso cambió apenas lo conoció».

Llaneza, Martínez y Pellegrini se reunieron por primera vez en Buenos Aires por la gestión del «Flaco» Poletti, ex arquero que las oficiaba de representante (ver capítulo 4: Fuera de juego). En esos encuentros, el chileno mostró su entusiasmo por la posibilidad de dirigir en Europa y rápidamente entró en sintonía con el proyecto que tenía en mente el directivo. La opción de saltar a España era un anhelo que el DT venía fraguando desde el momento que aterrizó en el fútbol argentino y había ya desechado un par de millonarias ofertas desde México.

El dinero jamás fue una piedra de tope en la negociación, a pesar de que la oferta era menor comparada a los salarios que obtenían en promedio los técnicos de la Liga española, según reconoce el propio Llaneza: «El tema del dinero no le interesaba, su foco estaba en lo deportivo y la chance de dirigir en Europa. Todas las conversaciones se dieron muy rápidamente y coordinamos su viaje a Villarreal para que conociera al presidente Roig. Y la verdad es que fue amor a primera vista. Manuel fue como una chica bonita: lo flechó de inmediato y con los años ese flechazo se transformó en algo extraordinario, porque con él tocamos el cielo como institución».

Pellegrini firmó un contrato por solo un año, la apuesta de traer un técnico chileno era arriesgada y ambas partes decidieron probar con un vínculo a corto plazo. El anuncio del nombre del nuevo entrenador se hizo en abril de 2004, dos meses antes de que el Ingeniero se hiciera cargo del equipo en junio, en el inicio de la temporada 2004-2005.

Registros históricos

No fue fácil el comienzo para el técnico al mando de su nuevo club. El Villareal debutó cayendo en el clásico regional ante el Valencia por 2-1 y no supo de victorias sino hasta la sexta fecha del torneo, cumpliendo una irregular campaña en la primera rueda de la Liga.

De la mano de Juan Román Riquelme, Diego Forlán y Marcos Senna como principales figuras, Pellegrini intentaba imprimirle al equipo su filosofía de juego ofensivo, pero los resultados no llegaban con la regularidad esperada y la crítica comenzaba a ganar fuerza. Cumplidas las primeras diez jornadas del torneo, el Submarino no salía a flote y el diario *Mediterráneo* publicaba un duro artículo, titulado «Los siete pecados capitales de Pellegrini», en el que ponía en duda la real capacidad del ex entrenador de River Plate para dar el salto a Europa y dirigir en un medio tan competitivo como el español.

Diego Forlán conoció de aquel comienzo difícil. El uruguayo se integró a la institución en esa misma temporada y recuerda que el DT mantuvo siempre el mismo discurso, a pesar de las críticas: «Nos pedía que jugáramos para adelante, que creyéramos en que a pesar de ser un club pequeño teníamos la capacidad para pelearle a los más grandes. Para nosotros jamás fue prioridad mirar la tabla y pensar que el objetivo era salvarse del descenso, a pesar de que tuvimos un comienzo irregular. Creíamos en lo que estábamos haciendo y en el liderazgo de Manuel».

Javi Mata, periodista de la radio Villarreal, siguió constantemente al equipo de Pellegrini. Hoy asegura que el entrenador llegó al club con sus ideas muy claras, su estilo serio y la inteligencia para cautivar con su proyecto: «Él tiene la capacidad para persuadirte. Convenció a todos que estaban para cosas grandes, que había que soñar, independiente de que en la historia del club no hubiera registro de grandes campañas como las que se consiguieron en esos años».

Poco a poco ese convencimiento se fue traduciendo en resultados y el equipo entró en una racha positiva que no paró hasta el final de la Liga. El Villareal, un cuadro pequeño, se había metido en pelea de grandes y remataba la temporada 2004-2005 en el tercer lugar de la tabla, detrás de los gigantes Barcelona y Real Madrid, una campaña de ensueño que le permitía clasificar a la Champions League por primera vez en su historia.

Diego Forlán fue figura consular ese año, convirtiéndose en el goleador de la Liga con 25 goles. El uruguayo, que peleó el cetro de pichichi hasta la última fecha con el camerunés del Barcelona, Samuel Eto'o, narra una anécdota que refleja una de las bases en las que se levantó el éxito de Pellegrini al mando del Villareal: la importancia del grupo por sobre las individualidades.

«Recuerdo que jugábamos contra el Málaga en una de las últimas fechas, y estaba peleando para ser el goleador del campeonato. Buscaba por todos lados y la pelota no entraba, no me salía el gol. Faltando veinte minutos para que terminara el partido, Manuel me saca y yo me caliento mucho, no lo podía entender y lo encaro: "¿Por qué me saca? Estoy peleando para goleador", le dije. Él me aseguró que me veía muy ansioso y que no le iba a hacer un gol a nadie jugando así, que estaba perjudicando al equipo.

»Al partido siguiente no le marqué al Albacete y me quería morir. Hasta que en la penúltima fecha le convertí tres al Barcelona en el empate 3-3 y llegué a la última jornada contra el Levante con la chance real de ser goleador, dependiendo de lo que hiciera Eto'o. Recuerdo que venía subiendo en el ascensor del hotel el día antes del partido y me topé con Pellegrini, que me dice que el Barcelona empató 0-0, es decir, que mañana juegue tranquilo para conseguir mi objetivo de ser pichichi.

»Al día siguiente le ganamos 4-1 al Levante, convertí dos goles y, en el entretiempo, cuando ya sabía que era el goleador del campeonato, le pidió a todos que me felicitaran porque era el primer pichichi de la historia del club y me dijo: "Juega tranquilo lo que queda de partido, porque ya conseguiste el segundo objetivo más importante. El primero era el grupal y lo logramos, clasificamos a la Champions League".»

Cuando el 24 de agosto de 2005 se realizó el sorteo de la fase de grupos de la Champions League, muy probablemente la inmensa mayoría de los aficionados del Villarreal pensaron que el Grupo D sería de debut y despedida para el Submarino Amarillo en la más importante competición de clubes de Europa.

El azar determinó que el equipo de Pellegrini compartiera zona junto al poderoso Manchester United, el Lille de Francia y el Benfica de Portugal, es decir, el cuadro español aparecía con muy pocas chances de avanzar a la ronda de octavos de final en su primera participación en Champions.

Rodolfo Arruabarrena, lateral del cuadro del Ingeniero, recuerda las sensaciones que experimentaron cuando se enteraron de sus rivales europeos: «Sabíamos que todos nos veían como la Cenicienta del grupo, pero confiábamos en nuestras armas. Desde el primer partido frente al Manchester [empate 0-0 en Villarreal] intentamos jugar de igual a igual y lo fuimos logrando. Manuel fue insistente en la necesidad de no renunciar a nuestra identidad, ni siquiera en los partidos de visita, en los que conseguimos muy buenos resultados. Al final terminamos ganando ese grupo invictos, con apenas un gol en contra y demostrando que podíamos llegar lejos».

Sorpresivamente instalado en la ronda de los dieciséis mejores, el Villarreal se enfrentó al Glasgow Rangers en su camino a la inédita gloria europea. El duelo de ida se jugó en Escocia, y los dirigidos de Pellegrini consiguieron un meritorio empate a dos tantos, en un partido que quedó marcado por los problemas de salud que sufrió horas antes la esposa del DT, Carmen Gloria Pucci, en el hotel de Glasgow. El técnico no pudo partir al estadio junto a sus dirigidos y al final llegó sobre la hora al recinto, cuando la charla técnica ya la había dado su ayudante

Rubén Cousillas. En la cancha, el equipo respondió a gran nivel, pavimentando lo que sería la también histórica clasificación a cuartos de final gracias al empate 1-1 conseguido en Villarreal, quince días después.

A esa altura del certamen, el Submarino Amarillo era la gran sorpresa de la Champions y el nombre de Pellegrini comenzaba a ganar bonos en España y el resto de Europa. Implicancias positivas de una gran campaña que se extendió por otra ronda más, luego de que el Villarreal rompiera todos los pronósticos y se metiera en semifinales, tras eliminar en cuartos a otro grande de Europa: el Inter de Milán (1-2 en Milán y 1-0 en la revancha en Villarreal).

La campaña europea del equipo del chileno superaba los pronósticos más optimistas, con un rendimiento sólido y sin renunciar jamás a su estilo de juego ofensivo, según Forlán. «Jugábamos en todas partes igual. Estábamos muy convencidos de nuestras posibilidades y fuimos creciendo a medida que íbamos avanzando. El equipo jugaba realmente bien y no cambiaba su filosofía, aunque el rival que tocara fuera uno de los grandes. La semana previa a la primera semifinal contra el Arsenal, por ejemplo, Manuel no cambió nada de nuestra rutina, entrenamos como si fuera un partido más. Él buscaba sacarnos la ansiedad y la verdad es que estuvimos muy cerca. Perdimos 1-0 en Londres haciendo un muy buen partido y en la revancha en el Madrigal nos quedamos afuera tras un 0-0 injusto, porque tuvimos varias chances para ganar. El camarín estaba muy triste con la eliminación, pero tranquilo también: lo habíamos dejado todo, mostrando un gran fútbol y con una campaña histórica para el club».

Aquella noche del 25 de abril de 2005 será recordada para siempre por la imagen del penal desperdiciado por Juan Román Riquelme a pocos minutos del final del partido. Fue un epílogo desafortunado para una campaña histórica, con un equipo que estuvo muy cerca de alcanzar una final que le habría sacado aún más brillo al gran rendimiento del Villarreal en su primera Champions League.

La estupenda campaña en Europa no solo posicionó al club en la órbita del fútbol internacional. La obra deportiva del estratega chileno sirvió también para que una pequeña y anónima localidad, cercana a Valencia, saliera al mundo gracias a su equipo de fútbol.

El economista Juan José Rubert fue alcalde de Villarreal entre 2007 y 2011, es decir, alcanzó a convivir con Pellegrini como máximo autoridad de la ciudad.

La plaza Mossén de Ballester sirve como escenario para el diálogo con el ex edil, quien se entusiasma al recordar lo que significó la estadía del chileno: «Lo que pasó con el equipo en esos años fue extraordinario y el legado quedó para siempre. Antes, aquí todos los niños eran hinchas de los grandes de España. Tú veías camisetas del Valencia, del Real Madrid o del Barcelona en la calle, muy pocas del Villarreal, pero hoy las nuevas generaciones son todas hinchas del club, gracias a esas grandes campañas que se consiguieron con Pellegrini.

»Además, fue importante la actuación en la Champions, porque le dio una visibilidad internacional inédita a esta ciudad. Al punto que hay una anécdota muy decidora del concejal Alejandro Fondt, quien viajó a Japón por esos años: resulta que se subió en un taxi y el chofer le preguntó de dónde era. Fondt le contestó que de España, y el japonés lo queda mirando y le dice: "¿España? De España yo solo sé de Madrid, Barcelona y Villarreal". Claramente, el nombre de nuestra ciudad traspasó las fronteras gracias a la campaña del equipo.»

Tras la gran actuación en la Champions 2005-2006, el Villarreal mantuvo el buen nivel de la mano del entrenador chileno, consolidándose como un equipo que peleaba en la parte alta de la tabla de la Liga española. Superada la polémica salida de Juan

Román Riquelme, en febrero de 2007, el plantel consiguió el máximo rendimiento en esa temporada 2007-2008, cuando finalizó en un extraordinario segundo lugar de la clasificación general detrás del campeón Real Madrid. Pellegrini había logrado consolidar el proyecto deportivo con que soñaba el presidente Roig cuando le encomendó a su director deportivo, José Manuel Llaneza, encontrar a un entrenador capaz de sacar adelante al equipo.

Cuatro años después de las primeras reuniones en Buenos Aires, las campañas de Pellegrini en el Villarreal lo habían posicionado como uno de los técnicos más importantes de España. Su nombre comenzaría a sonar en equipos grandes y fue cosa de tiempo para que en junio de 2009 llegara el llamado del Real Madrid.

Otra vez la planificación que el Ingeniero había diseñado daba resultados. En su momento rechazó los millones del fútbol mexicano para probar suerte en España, una apuesta claramente acertada tras ver el rendimiento conseguido con el Submarino Amarillo y el posterior ofrecimiento del cuadro merengue.

En total, el DT alcanzó a dirigir, en cinco temporadas, 259 partidos en la banca del Villarreal, obteniendo un rendimiento global del 57 por ciento, merced a 123 triunfos, 72 empates y 64 derrotas.

Números muy positivos que al momento de su adiós motivaron al periodista del diario *Mediterráneo,* José Luiz Lizarraga, el mismo que había escrito «Los pecados capitales de Pellegrini» cinco años antes, a publicar un artículo titulado «Mi homenaje para Manuel Pellegrini», un texto que resume certeramente, y a modo de mea culpa periodístico, lo que significó el paso del Ingeniero por Villarreal.

Acá algunos párrafos del artículo de Lizarraga, fechado el primero de junio de 2009:

Me equivoqué con Pellegrini. El Villarreal pierde un gran técnico que se marcha por la puerta grande. Atrás queda un lustro de oro en la historia del club amarillo. El ideólogo de un estilo que ha calado en la Liga y en la selección. ¡Que te vaya bonito, Manuel!

Sol mediterráneo

La marisquería Doramar es un acogedor restaurante ubicado a cinco cuadras del estadio La Rosaleda de Málaga. Se trata de un local tranquilo, con cerca de veinte mesas y un espacio privado que en sus muros luce óleos del destacado pintor andaluz Francisco Rodríguez Lobo.

Alberto Santiago lleva once años trabajando como garzón en el establecimiento. Hincha del Málaga, cuenta que tiene el privilegio de atender recurrentemente a futbolistas y técnicos del club que han adoptado al Doramar como un espacio de reunión permanente: «Acá Pellegrini venía siempre cuando era técnico del Málaga. Al menos dos o tres veces por semana cenaba aquí. Le gustaba pedir pescado, generalmente lubina a la espada con tomates y lechuga. A veces pedía ostras también y casi siempre se sentaba en el privado, aunque accedía a todas las fotos que le pedían cuando entraba al restaurante; la gente lo aplaudía de pie. Acá vienen mucho los jugadores también, sobre todo los extranjeros. El míster se topaba seguido con Van Nistelrooy, Saviola o Cazorla, pero él solo los saludaba educadamente. Jamás se sentaba en su mesa, siempre muy correcto, profesional».

Fue precisamente en el privado del Doramar en donde en noviembre de 2010, cinco meses después de su alejamiento del Real Madrid, Manuel Pellegrini acordó su contrato por tres años con el Málaga Club de Fútbol, cuadro de la Primera División de España.

Descansando en Chile tras su convulsionada temporada en el Santiago Bernabéu, el Ingeniero recibió un llamado de su representante, Jesús Martínez, quien le tenía una nueva propuesta de trabajo: «Le conté que el Málaga había destituido al técnico portugués Jesualdo Ferreira y estaba interesado en sus servicios. Apenas me escuchó me preguntó si estaba loco, que si acaso no sabía que el equipo iba en los últimos lugares de la tabla y con pinta de descenso seguro. Pero le dije que se lo pensara, que el grupo de jugadores tenía potencial y que si lograba salvarlos del descenso se podía hacer algo importante a la siguiente temporada, porque el club tenía muchos recursos».

Esos recursos venían de la inversión millonaria que estaba realizando el jeque Abdullah Bin Nasser Al Thani, miembro de la familia real de Qatar y propietario de la institución desde junio de 2010. El problema es que seis meses después, los petrodólares no rendían en la cancha y el equipo marchaba en el fondo de la clasificación, con un pobre registro de siete derrotas en diez partidos al momento de cerrar las conversaciones con el técnico chileno.

Cuando Pellegrini viajó a escuchar la nueva oferta de trabajo, de inmediato se enamoró de la ciudad, según cuenta Mario Husillos, director deportivo del Málaga durante la estadía del chileno en La Rosaleda: «Acá tenemos una "trampa" para motivar a los jugadores con los que estamos negociando: los paseamos por la playa, la costanera, los campos de golf y les mostramos la calidad de vida que gozarán si firman con nosotros. Con Manuel pasó eso, se dio cuenta de inmediato que en Málaga no solo encabezaría un proyecto deportivo interesante, además disfrutaría de la tranquilidad que no tuvo en Madrid y con un entorno natural impresionante».

Rápidamente, Pellegrini aceptó el desafío, desechando una millonaria oferta del fútbol árabe para privilegiar una nueva posibilidad en la Liga española tras sus pasos por el Villarreal y el Madrid.

El ingeniero debutó en la undécima fecha de la Liga derrotando 1-0 al Levante en calidad de local. Por primera vez en su trayectoria internacional, el DT se hacía cargo de un club con la temporada en pleno desarrollo. El objetivo inmediato era salvar al Málaga del descenso, para después soñar con estructurar un plantel a su medida e ir por metas más ambiciosas.

Pero otra vez el inicio fue muy complejo, el equipo mostró mucha irregularidad en los primeros meses del técnico en la banca y la prensa deportiva malagueña dudó de la capacidad de Pellegrini para adaptarse a un club con una realidad competitiva muy distinta a la que había gozado en el Real Madrid.

Sin embargo, y otra vez también, el método de Pellegrini dio frutos: el Málaga empezó a levantar cabeza en la tabla, consiguiendo buenos resultados y confirmando su mejoría en la parte final del campeonato, cuando enrieló cinco victorias al hilo, registro nunca antes conseguido por el club.

El objetivo de la permanencia se había cumplido con creces, terminaban la temporada en el undécimo lugar de la tabla y la filosofía futbolística y de trabajo del chileno se comenzaba a consolidar en la interna de la institución.

Marcelino Torrontegui, fisioterapeuta de ese plantel malagueño, compartió largas jornadas de trabajo con el Ingeniero y conoció el estilo con que sacó adelante el difícil momento deportivo que encontró a su llegada: «Es como una autopista recta, siempre derecho, sin dobleces. Desde que llegó a Málaga nos exigió fidelidad, seriedad y trabajo. Es muy serio para trabajar, pero tuve la opción de conocerlo en una faceta más relajada porque muy seguido se masajeaba conmigo, debido a un problema en la cadera que sufría. Ahí uno lo notaba más bromista, siempre con alguna pincelada de humor a la pasada. Para él lo más importante era que uno le dijera la verdad, para bien o para mal. En los tres años que estuvo en el club, sus exigencias fueron siempre las mismas, no cambió nada; en la victoria y en la derrota pedía lo mismo, tenía muy claro cómo le gustaba trabajar».

Martín Demichelis fue uno de los pilares de esa campaña. El defensa argentino había sido dirigido por el Ingeniero en River Plate antes de dar el salto al Bayern Munich. En Buenos Aires, el técnico conoció la solvencia del jugador, a quien no dudó en invitar al proyecto malagueño cuando vio que había perdido protagonismo en la Bundesliga. Demichelis es el futbolista más utilizado por el chileno en su trayectoria como entrenador (ver Anexo estadístico), una relación que se extendería también a Inglaterra, ya que el DT reclutó al argentino para ser parte del City.

Instalado en Manchester desde el año 2013, el central hace su análisis de la etapa que compartió con Pellegrini en Málaga: «Estaba en Alemania y me llamó para colaborar. La salvación del descenso fue una de las experiencias más lindas que me tocó vivir mientras jugué. Es un título sin una medalla, pero queda como una demostración de vida en el sentido de seguir creyendo y teniendo fe. Ni las matemáticas nos daban. En enero, febrero y marzo estábamos en zona de descenso, es más: estábamos últimos y quedaban solo once partidos para el final. No ganábamos, era totalmente irreversible, pero Manuel siempre con esa calma extra, con ese don pensante y diferente supo mantener el optimismo, seguir creyendo en el trabajo y en lo que quería con el equipo. Así, en las últimas once fechas, tuvimos una remontada espectacular, terminamos ganando cinco veces seguidas y nos salvamos. Fue de las sensaciones más hermosas que he tenido, inolvidable».

Reinvención

La temporada 2011-2012 comenzó con desafíos importantes para Pellegrini y el jeque Bin Nasser Al Thani. Entusiasmados tras mantener la categoría, la administración del club se abocó a la conformación del plantel con un margen amplio, gracias a la chequera del propietario.

A diferencia de lo ocurrido a su llegada a Málaga, el entrenador pudo estructurar al equipo de acuerdo a sus gustos y necesidades, entregándole a Mario Husillos las coordenadas del material que aspiraba a reunir en su camarín: «Él me pedía jugadores de buena técnica en todos los sectores de la cancha, que fueran capaces de sostener su estilo de juego. Luego consensuábamos en una lista de nombres con diversas alternativas y yo salía al mercado a intentar satisfacer sus necesidades. En todo caso, él era muy práctico y entendía perfectamente cómo se manejaba el juego de las ventas y contrataciones. Daba mucha autonomía para trabajar tranquilo, no es de grandes reuniones ni de estar encima de uno. Además, es de esos entrenadores que gane, empate o pierda mantiene sus convicciones y maneras de actuar siempre».

Pellegrini y el generoso presupuesto del Málaga lograron cautivar a jugadores importantes, armando un plantel muy competitivo que contaba, entre otras figuras, con el brasileño Julio Baptista, el holandés Ruud van Nistelrooy, el argentino Javier Saviola, el francés Jérémy Toulalan, el paraguayo Roque Santa Cruz, el talento español del joven Francisco «Isco» Alarcón y de Santi Cazorla, su ex dirigido en Villarreal.

Mientras el proyecto se iba consolidando dentro de la cancha, el DT volvía a recibir la aprobación de la crítica española, la que hablaba de la «revancha del Ingeniero», tras su paso por el Real Madrid.

En medio de los elogios generales, José Mourinho, su sucesor en el Bernabéu, le disparaba gratuitamente, afirmando que en «caso de ser despedido del Real Madrid nunca iría a un equipo como el Málaga». Pellegrini ignoró los dardos del portugués y solo se limitó a afirmar que estaba muy orgulloso de dirigir al cuadro malagueño. Orgullo que se fue acrecentando a medida que los resultados se iban dando en ese ciclo 2011-2012.

De la mano de un juego vistoso y ofensivo, el Málaga cumplió la mejor campaña de su historia, rematando en el cuarto lugar de la Liga y obteniendo, por primera vez, los tickets para la Champions.

Pellegrini lo hacía de nuevo, y en Málaga los aplausos se escuchaban a raudales.

Pero lo mejor estaba por venir y sería en el escenario internacional, porque repitiendo el batacazo que había dado con el Villarreal seis años antes, el Ingeniero conduciría al debutante cuadro malagueño a una actuación sobresaliente en Europa, encumbrándose hasta los cuartos de final de la Champions League, una instancia inédita para el club. Y tal como ocurrió con el agónico penal de Riquelme en la semifinal frente al Arsenal, la despedida continental del Málaga ante el Borussia Dortmund también fue dramática…

Corría agosto de 2012 y el entusiasmo era total entre los hinchas malagueños. El equipo se aprestaba a iniciar la temporada y el sueño era cumplir un buen papel en el concierto europeo. Pellegrini había logrado armar un plantel de primer nivel y el cuarto lugar de la Liga no hacía más que confirmar que el proyecto del jeque catarí se consolidaba rápidamente, merced a los dólares y la manija del entrenador chileno.

Sin embargo, justo antes de comenzar la estación 2012-2013 y con los desafíos de Liga y Champions a la vuelta de la esquina, los problemas económicos comenzaron a dinamitar la tranquilidad del club.

Una a una fueron cayendo las denuncias en contra del Málaga por incumplimiento de contratos y el no pago de transferencias de jugadores. A medida que la crisis iba escalando, la presencia de Abdullah Bin Nasser Al Thani en Andalucía se desvanecía y los rumores acerca de la renuncia del entrenador se acrecentaban.

Sin embargo, el DT no solo no renunció, sino que asumió el liderazgo del camarín para sostener un proyecto que se caía a pedazos junto a los directivos de la casa, los históricos como Mario Husillos. «Manuel asumió funciones que iban mucho más allá que las de un entrenador, manteniendo unido al equipo ante la desaparición de los propietarios. Junto a quienes sacábamos adelante el día a día del club, trabajó para mantener arriba la moral de los jugadores, manejando una situación tremendamente complicada como era el no pago de los salarios del plantel. Él fue el primero en dejar de cobrar cuando se enteró de que a los jugadores se les adeudaban dineros».

Pieza fundamental en ese camarín fue el arquero argentino Wilfredo «Willy» Caballero. Titular indiscutido en la oncena malagueña, fue uno de los jugadores que asumió el liderazgo durante la crisis junto al DT: «Lo primero que nos dijo fue que sabía que no podía obligarnos a continuar en un proyecto sin futuro, que él entendería si alguno partía ante una buena oferta. Habló de frente, explicó la situación sin maquillarla, en toda su dimensión.

»Fueron momentos muy duros, pero él tomo la actitud y las decisiones acertadas. Contó con la colaboración de quienes éramos los líderes del camarín. Nos convenció apelando a la gloria. Nos decía que habíamos luchado tanto por llegar a la Champions y que ahora estábamos a punto de jugarla, que no tiráramos todo por la borda y que si hacíamos una buena campaña, las cosas tenderían a solucionarse por la lógica de los buenos resultados.

»Siempre veló por el bien de nuestras carreras, hablándonos de nuestras familias y los esfuerzos que habíamos hecho. Así, convencidos de que teníamos que jugar por nosotros, fuimos resolviendo agujeros económicos e intentando arreglar los problemas de a uno. La verdad es que actuó muy bien, bancó mucho al jugador para que decidiera con tranquilidad y sin ninguna imposición sobre su futuro.»

Pellegrini volvía a enfrentar una crisis financiera al mando de un plantel que respondía en la cancha. Y tal como había hecho liderando a San Lorenzo, no solo lograba mantener la unión del camarín alrededor de un objetivo común, también conseguía rendimientos individuales altísimos que en conjunto, con una propuesta ofensiva y atractiva, cristalizaban una campaña espectacular.

Poniendo en práctica el liderazgo integral que había conocido con su mentor Fernando Riera, los conocimientos adquiridos en los cursos en Italia e Inglaterra y las experiencias acumuladas en más de dos décadas como DT, el chileno asumía en toda su dimensión la figura del director técnico, aquella en la que el adiestrador debe extralimitar sus funciones en la cancha para transformarse en la cabeza de un proyecto global.

Una experiencia que lo marcó al punto de destacarla como la más trascendental de su trayectoria, previo a su arribo a la Premier League: «Lo que viví en Málaga ha sido la etapa más importante de mi carrera. No tenía la necesidad de plantearme ese proyecto porque el equipo estaba prácticamente descendido cuando llegué, pero siempre he sentido la motivación de tener nuevas metas y no me costó mucho aceptar el desafío. Me llegó ese proyecto y tuve la responsabilidad en la parte formativa, no solo en la competitiva. Transformé un club chico en uno grande. Fue una experiencia que me llenó plenamente y fue una gran decisión en mi vida. Lo que viví en Málaga será imposible de repetir en alguna parte del mundo».

En plena crisis financiera, el Málaga debía afrontar su debut en Champions League con la necesidad de hacer caja. El efectivo llegó a través de la venta de una de las principales figuras del plantel, el volante Santi Cazorla, quien fue transferido al Arsenal de Inglaterra.

El chileno visaba la salida de un jugador clave de su formación, utilizando un criterio base en su carrera: el pragmatismo. Característica que para Mario Husillos fue fundamental en la gestión de la complicada situación del club: «Cazorla fue una baja muy sensible que el técnico supo disimular. En esa misma campaña, durante el mercado de invierno, llegó otra oferta importante del Arsenal, ahora por Nacho Monreal, titular indiscutido. Recuerdo que el día antes de que cerrara el libro de transferencias le dije a Manuel que necesitábamos vender al jugador para tener recursos y así pagar los salarios. Su respuesta me quedó grabada: «Véndalo, prefiero diecinueve jugadores tranquilos por estar pagados que veinte nerviosos esperando cobrar».

En pleno desbalance económico, el Málaga comenzó su camino en Europa de manera sobresaliente: ganó su grupo invicto, encumbrándose sobre una potencia como el Milan de Italia y eliminando al Zenit de Rusia y al Anderlecht de Bélgica.

En octavos, la llave emparejó al cuadro del Ingeniero con el Porto de Portugal, y otra vez los andaluces dieron la sorpresa: 0-1 en la ida, para después revertir la eliminatoria en La Rosaleda con un claro triunfo por 2-0.

En el horizonte asomaba el poderoso Borussia Dortmund como rival en la instancia de cuartos de final. A esa altura del certamen, toda Europa conocía la capacidad del equipo del chileno, por lo que el favoritismo de los alemanes quedaba relativizado por la campaña que venía cumpliendo el cuadro malagueño.

LÁGRIMAS

La noche del miércoles 3 de abril de 2013 un repleto estadio La Rosaleda despidió con un aplauso cerrado al Málaga. Su equipo no había pasado del 0-0 en el duelo de ida de los cuartos de final frente al Borussia, pero el cuadro de Pellegrini hizo un buen partido y dejó abierta la llave para la revancha de la semana siguiente en Alemania.

Pellegrini se fue tranquilo a cenar a la marisquería Doramar, no había ganado, pero en su fuero interno sabía que tenía las armas para conseguir en Dortmund el pase a semifinales. Eso sí, antes de ese partido del año, tenía que pasar por San Sebastián para enfrentar a la Real Sociedad por la Liga.

El sábado 6, el chileno estaba en el hotel de la ciudad vasca esperando salir hacia el estadio de Anoeta cuando recibió una llamada desde Santiago: «Manuel, murió tu padre», escuchó por la línea telefónica.

Emilio Pellegrini había dejado de existir a los noventa y cinco años, a miles de kilómetros de distancia de su hijo, al otro lado del mundo, en Santiago de Chile.

El técnico pudo despedirse un par de meses antes, cuando voló a su país en un viaje relámpago, alertado del delicado estado de salud de don Emilio. Sin embargo, la noticia lo golpeó fuerte, justo algunas horas antes del partido ante la Real Sociedad.

Sergio Cortés es periodista del diario *El Sur* de Málaga. Con más de 45 años de trayectoria, sigue a todas partes al cuadro andaluz desde hace décadas. Autor del libro *La historia del Málaga*, fue uno de los reporteros que compartió más de cerca con el técnico chileno durante su estadía en el club.

Cortés estaba ese día en San Sebastián acompañando al equipo y fue de los pocos que supo de la muerte del padre del técnico: «No quiso contárselo a nadie. Los pocos directivos que se enteraron, le ofrecieron que no dirigiera y viajara de inmediato a Chile. Él no aceptó y organizó todo para jugar ese sábado, volar el domingo a Santiago, estar en el funeral el lunes y viajar de regreso el martes en la noche, y así alcanzar a llegar a Alemania temprano el mismo miércoles, día de la revancha ante el Borussia. Al final se perdió 4-2 ante la Real Sociedad y recién, después del partido, los jugadores se enteraron de lo ocurrido».

Rodeado de familiares en la Parroquia San Francisco de Sales de Vitacura, un afectado Pellegrini despidió a su padre. El tradicional tono rojizo de sus ojos azules esa vez se justificaba por la pena. Visiblemente compungido, encabezó la comitiva en el traslado de los restos hacia el Cementerio General de Santiago. Pero no tuvo tiempo para refugiarse con los suyos, apenas alcanzó a estar algunas horas junto a su familia y rápidamente debió volar solo, como lo ha hecho durante los últimos dieciséis años de su vida, en busca de un desafío deportivo. Dortmund lo esperaba, tenía una cita con la historia del Málaga en Europa.

Deben haber sido de los días más difíciles en la trayectoria del Ingeniero, quien aterrizó en Alemania con la misión de dirigir a su equipo en la revancha por los cuartos de final de la Champions League.

Ni el peso de la pérdida familiar ni el agotamiento de los viajes sacaron del foco al técnico. Cuando entró al camarín y se reencontró con sus dirigidos, se creó una atmósfera especial, distinta a la habitual. La emoción por la muerte de don Emilio y la expectativa previa al partido se mezclaron para potenciar la adrenalina del vestuario. Pellegrini, como siempre, quiso mantenerse de una pieza, sin demostrar sus emociones, según recuerda Demichelis: «Quiso mostrarnos esa coraza de hombre fuerte, responsable, de seguir transmitiéndole al grupo lo mismo que veníamos haciendo durante todo el año. Pero lo conozco bien, sabía que estaba destrozado, seguramente fue uno de los golpes más duros de su vida, pero no teníamos ninguna duda de que iba a seguir fuerte y con nosotros. Ese tipo de cosas lo fueron convirtiendo en un tipo diferente».

Lo que tampoco cambió esa noche en Dortmund fue la propuesta futbolística del técnico. El Málaga se paró de igual a igual en calidad de visitante y a los 82 minutos de partido tenía la clasificación en el bolsillo, merced a su triunfo parcial por 2-1. Sin embargo, el fútbol es impredecible y cuando la suerte, las circunstancias o el destino apuntan para otro lado, no hay caso. Dos goles en 68 segundos durante los descuentos, y uno de ellos en clarísima posición de adelanto, le dieron la clasificación al Borussia. Fue el triste final de una semana terrible para el chileno.

La prensa española habló de robo del desconocido árbitro escocés Craig Alexander. El jeque catarí Abdullah Al Thani aseguró que el Málaga fue discriminado por el racismo de la UEFA. Incluso los jugadores acusaron a Michel Platini, presidente de la UEFA, de perjudicar a un equipo chico y sin tradición.

¿Y Pellegrini? Descolocado, con el inmisericorde remate de aquella amarga semana. El Ingeniero, en una actitud inédita en su siempre protocolar discurso, ahogó las penas quejándose contra el mediocre arbitraje y adoptando la teoría de la conspiración contra su equipo. «Me acuerdo de la imagen del vestuario: él estaba sentado solo, mudo, nunca lo había visto tan afectado. Volaban golpes y patadas por la bronca de los jugadores, pero él nada, en un segundo plano, sin perder la compostura, pero destruido. Esa misma noche tomábamos el avión de regreso y el trayecto en el bus hacia el aeropuerto parecía un velorio, nadie decía nada, todos mudos».

El relato del masajista Marcelino Torrontegui describe las horas más difíciles de Pellegrini en la banca malagueña. Una tristeza que se mantuvo en el vuelo de vuelta hacia Andalucía, en el que también venía el periodista Sergio Cortés. «Nunca había visto a Manuel tan afectado. Estaba con las manos en la cabeza y con la mirada pegada en el suelo del avión. Lo vi tan tocado que me animé a acercarme, le puse la mano en la cara como diciéndole que entendía los sentimientos que estaba experimentando tras lo de su padre y la eliminación. Solo atinó a agarrarme la mano unos segundos y no me dijo nada».

«¡Pellegrini! ¡Que venga Pellegrini! ¡Que venga Pellegrini! ¡Que venga Pellegrini!», cantaban los hinchas del Málaga el domingo 26 de mayo de 2013 en el estadio La Rosaleda.

Era la última fecha de la Liga española y el equipo del chileno acababa de ganarle 3-1 al Deportivo la Coruña, cerrando la temporada en el sexto lugar de la tabla, un resultado extraordinario si se enmarca en los graves problemas económicos que enfrentó el club durante todo el curso del torneo.

Terminado el partido, las treinta mil personas que repletaban el recinto decidieron hacerle un inédito homenaje al entrenador, que ya había anunciado su partida del club. Los jugadores se abrazaban en el medio de la cancha aplaudiendo a la parcialidad, para varios era también el último duelo con esa camiseta, debido a la crisis económica de la institución.

Estaban todos celebrando, menos uno: el técnico. Pellegrini se había recluido en la entrada del túnel, observando desde lejos la fiesta, hasta que los líderes del plantel se dieron cuenta y decidieron ir a buscarlo, según el relato de Martín Demichelis: «Nosotros sabíamos que de alguna manera debíamos homenajear a Manuel, porque fue sin duda el gran responsable del éxito deportivo que tuvimos en Málaga. Gracias a eso pasamos unos momentos deportivos y personales maravillosos, con el reconocimiento de la gente y con una hinchada abocada al equipo, idolatrándonos, haciéndonos sentir fidelidad hacia nosotros.

»Si bien a él no le gusta ostentar en los momentos de éxito y prefiere dejar el foco siempre en los jugadores, me acuerdo de que ese día se fue hacia el túnel y con los más grandes se nos ocurrió que saliera a la mitad del campo para homenajearlo. Queríamos que pudiera disfrutar del cariño de la gente, ya que fue una persona que le dio mucho al club. Deseábamos que pudiera sentir todo el cariño que bajaba de las gradas, porque era amor puro hacia ese equipo comandado por él. Creo que se emocionó al constatar que había liderado un proyecto extraordinario. Durante dos años y medio fue sumamente feliz, le cambió la cara al club, lo clasificó a la Champions y lideró campañas notables. Por todo eso él se merecía ese homenaje.»

Dos meses antes de aquel homenaje en La Rosaleda, cuando aún no se anunciaba que el DT dejaría el equipo y a propósito de la agónica eliminación en la Champions frente al Borussia Dortmund, escribí una columna en la revista *Qué Pasa*.

En el texto se entregaba un punto de vista sobre la proyección que debía tener la carrera de Manuel Pellegrini a esa altura de su vida. Una reflexión que poco tiempo después, justo al momento de la despedida del Málaga, hubiera calzado perfectamente como el cierre de esa etapa:

«LA REVANCHA DEL INGENIERO»

… Hay algo que Pellegrini debería sacar en limpio de este nuevo sueño europeo frustrado. Porque tal como le ocurrió con el Villarreal y el penal desperdiciado por Juan Román Riquelme en la semifinal frente al Arsenal o este miércoles con el Málaga en Alemania, el chileno vuelve a comandar una campaña espectacular que termina sin un título. Y es que, salvo por su breve e ingrato paso por el Real Madrid, Pellegrini no ha podido mostrar su valía en un grande de Europa. En el Villarreal se dio a conocer en España con campañas inolvidables. En el Madrid se encontró con el mejor Barcelona de la historia, y en el Málaga rescató al equipo del descenso para encumbrarlo en las grandes ligas. Pero hoy, a los sesenta años y tras diez temporadas en Europa, llegó el momento de que este ingeniero deje de construir los cimientos de instituciones menores para hacerse cargo de obras ya consolidadas, que tienen como único objetivo el triunfo. Llegó la hora de que Pellegrini tenga su revancha con un equipo grande.

Esta dolorosa semana a cargo del Málaga debe servir para cerrar un ciclo y firmar por uno de los tantos equipos importantes que llevan años sondeando al entrenador. Los medios europeos aseguran que lo quiere el Manchester City de Inglaterra y el Internazionale o el AC Milan en Italia. Da lo mismo, de seguro Pellegrini elegirá bien si decide dar el salto. Ojalá lo haga, su extraordinaria carrera se lo merece.

CIUDADANO MILLONARIO

Khaldoon Al Mubarak es el presidente del Manchester City. Nombrado directamente por el propietario del club, el jeque Mansour bin Zayed Al Nahyan, la máxima autoridad de los Cityzens, es el puente entre la familia real de Abu Dhabi y los personeros a cargo de la administración y la dirección deportiva de la institución: los españoles Ferran Soriano y Txiki Begiristain, director ejecutivo y director deportivo, respectivamente.

El jeque, cuya fortuna está avaluada en más de trecientos sesenta mil millones de euros, delega la total supervisión de sus intereses en el cuadro de Manchester sobre los hombros de Al Mubarak. La familia real ha invertido más de mil quinientos millones de euros en fichajes, infraestructura y desarrollo corporativo desde que adquirieron el control total del equipo el año 2008, por lo que la responsabilidad del presidente de la institución no es menor.

A fines de mayo de 2013, Manuel Pellegrini se reunió a solas con Al Mubarak en Manchester. El encuentro cerraba la etapa de negociaciones que habían iniciado con Begiristain en Marbella semanas antes, cuando este visitó al técnico y su representante Jesús Martínez para empezar a concretar el salto del entrenador desde Málaga a la Premier League.

Así lo relató el agente: «Le seducía hace mucho tiempo la opción de ir al fútbol inglés, por lo que las negociaciones fueron bastante fluidas. En ese momento estaba el interés del Milan y otros equipos, pero la oferta del City era la más atractiva y motivante. Txiki viajó un par de veces a Málaga para ir afinando todo antes de reunirnos con Khaldoon, quien era el que tomaría la decisión final. Cuando llegó el momento de viajar a Manchester, abordamos el vuelo más temprano, salimos cerca de las seis de la mañana para evitar a la prensa mientras no se concretara todo».

Begiristain explica que para él y Soriano, el nombre de Pellegrini no tenía discusión, pero el representante del jeque debía dar el visto bueno, situación que ocurrió en aquella reunión en un hotel de Manchester: «Mientras Manuel se reunía con el presidente, Jesús y yo esperábamos ansiosos en el lobby. Sin embargo, no hubo problemas, Khaldoon se convenció enseguida. Él ya tenía todos los antecedentes que le habíamos preparado sobre Pellegrini y le bastaron unos minutos para confirmar que se trataba del técnico que necesitábamos».

El 14 de junio de 2013 el club confirmó la contratación del chileno como nuevo DT del City. Firmó un contrato por tres años con la misión de capitalizar futbolísticamente, y dando espectáculo, la millonaria inversión del jeque en el club.

—Txiki, ¿por qué eligieron a Pellegrini?

—Primero, por la forma en que juegan sus equipos. Segundo, por un tema de comportamiento histórico, su manera de manejarse y gestionar los grupos. Y tercero, por su forma de ser, una persona amable, educada, medido, pragmático. Había otras alternativas, pero nadie superaba las expectativas como lo hizo Pellegrini.

—¿Dónde está la clave del éxito de Pellegrini en Europa? No es fácil que le vaya bien a los técnicos sudamericanos por acá…

—En su capacidad de adaptarse. Cuando uno viene de afuera tiene que integrarse para ser aceptado, y eso significa ser muy inteligente para ceder cuando es necesario. Si a uno lo han traído para aportar cosas nuevas, hay que hacerlo con mucho tacto, con manejo, y eso Manuel lo sabe hacer muy bien porque es un hombre inteligente.

Aquella necesidad de adaptación Pellegrini la tiene asumida como un deber, si se aspira a sostener una carrera en Europa. El chileno sabe que han sido muy pocos los colegas sudamericanos capaces de consolidarse en el fútbol del Viejo Continente: «Es difícil generalizar. Habría que revisar la carrera de cada uno, caso por caso. Pero quizá, cuando uno llega a dirigir a otro país, debe adaptarse a la idiosincrasia del medio y no al revés. Tratar de imponer la propia termina pasándote la cuenta. Uno tiene que adaptarse y meter sus conocimientos a base de cambios pausados e inteligentes. Y me parece que quizá el técnico sudamericano tiende a tratar de instalar su manera de ser en una cultura que es totalmente distinta».

Cumpliendo uno de sus anhelos más antiguos, el Ingeniero llegó al fútbol inglés para tomar el mando de un equipo millonario, una enorme oportunidad para trabajar con todos los recursos a su disposición, pero al mismo tiempo, con una exigencia de resultados inmediatos.

La ecuación: dinero más contrataciones bombásticas debería ser igual a títulos; pero no siempre es así en el fútbol, una actividad en la que las matemáticas no necesariamente son exactas y la chequera no asegura copas. De ser así, el Real Madrid de Florentino no mostraría la escuálida estadística de una Liga en los últimos siete campeonatos españoles, y el multimillonario proyecto del catarí Nasser Al-Khelaifi en el Paris Saint-Germain no seguiría en el dique seco europeo.

El DT piensa que la identidad, el prestigio internacional, la tradición, el oficio y la historia de un equipo no se pueden comprar con efectivo, sino que se van construyendo con el tiempo, a medida que los proyectos van consolidándose. La propiedad del City parece tenerlo muy claro también, pero no así parte del medio deportivo inglés, el que asume que una inversión millonaria en contrataciones debe, automáticamente, poner a un equipo al nivel de potencias que llevan décadas construyendo su prestigio.

Los cuestionamientos de la prensa inglesa a Pellegrini llegaron durante su segunda temporada en el club. Poco importaron los títulos de la Copa de la Liga y la Premier League en el año de su debut en Inglaterra. Las eliminaciones en la Champions League en octavos de final y de la Copa local en cuartos, más el segundo lugar en la Premier detrás del Chelsea en la temporada 2014-2015, parecieron pecados imperdonables para aquellos medios que le exigen al City instalarse de inmediato en la línea de las superpotencias planetarias.

Varios periódicos ingleses elucubraron sobre el despido del entrenador que, meses antes, habían aplaudido por su extraordinaria temporada debut en Manchester. Sin embargo, Pellegrini no solo fue confirmado en su cargo, el club decidió además extenderle su contrato hasta junio de 2017.

A Begiristain no para de sonarle su teléfono mientras lo entrevistamos en la ciudad deportiva del City. Está a punto de

cerrar el millonario traspaso del defensa argentino Nicolás Ota-
mendi desde el Valencia. Jornadas antes abrochó la llegada del
inglés Raheem Sterling desde el Liverpool y algunos días después anunciará la compra del belga Kevin De Bruyne desde el
Wolfsburgo de Alemania. En total, más de doscientos millones
de euros en contrataciones, la inversión más onerosa para un
club en el inicio de la temporada 2015-2016. Más recursos y
más presión para el técnico chileno, de quien Txiki explica la
extensión de su contrato justo en el momento en que los rumores de destitución arreciaban: «Necesitábamos generar confianza en él, en el grupo y en el entorno. Primero, porque se
lo merece: ganó dos campeonatos en su primer año, algo que
muy pocos han logrado. Y luego, en un año con dificultades
para poder lograr rendimiento, igual fuimos segundos y máximos goleadores. Es cierto que quedamos a muchos puntos del
Chelsea, pero seguimos cumpliendo el objetivo de ser un equipo atractivo, y ese fue uno de los objetivos al traer a Manuel.
Por eso confiamos en él y decidimos demostrarlo con hechos,
extendiendo su vínculo».

Para Pellergini, «las ideas no se compran con dinero», y asegura que detrás de los grandes recursos del City «hay un plan con
mucha verdad».

—¿Cómo se afronta el desafío de armar un plantel cuando
se tienen recursos importantes como los del Manchester City?

—Es una tremenda responsabilidad, sobre todo cuando te
toca a ti. Es distinto cuando tú lo recibes armado. Ahí la responsabilidad es menor. Por ejemplo, cuando llegué al City el equipo
ya estaba bastante definido. En ese momento pedí las contrataciones de Álvaro Negredo, Jesús Navas, Martín Demichelis y
Fernandinho. Como funcionaron, ellos pasaban a ser de mi total
responsabilidad. Pero el resto ya estaba hecho, lo recibí. Cuando
terminó el primer año y decido renovar a seis jugadores de los
que ya estaban, ahí ellos pasan a ser de mi responsabilidad. Es
decir, a medida que vas permaneciendo en el mismo equipo tu

responsabilidad también va aumentado a la hora de conformar un conjunto.

—En diciembre de 2014, a mitad de temporada, el club le renovó contrato por dos, tres y hasta cuatro años, incluso, a varios jugadores que ya están en la última etapa de sus carreras. ¿No lo considera un error? Pareció como una relajación, que se perdió competitividad.

—Es difícil manejar ese tipo de situaciones. Si no aseguras a tus jugadores importantes los puedes perder fácilmente. El mercado europeo es muy competitivo, hay muchos clubes que tienen la capacidad de levantar a tus jugadores si es que no los blindas. Y esa coyuntura es la que nosotros podríamos enfrentar si no renovamos a piezas claves. Ahí debe aparecer mi rol: ser capaz de motivar y mantener la competitividad de jugadores ya hechos, que lo han ganado todo. Mi gran error de la temporada 2014-2015 fue pensar que todos aquellos futbolistas que fueron importantes en la obtención del título mantendrían el mismo nivel de la temporada anterior. Eso no ocurrió con algunos y claramente fue mi responsabilidad.

—A usted se le exige mucho, debido a las inversiones millonarias que cada año hace el club en contrataciones.

—El plantel del City está al mismo nivel que el del Manchester United o el del Chelsea, por ejemplo, y no es mejor que el de las grandes potencias de Europa. Se pierden las perspectivas porque se asume, como este es un club que ha invertido mucho en los últimos años, que está obligado a ganarlo todo y no es así. Los proyectos no se construyen de un día para otro.

»Además, está el peso histórico, la tradición de un club, etcétera. Todos elementos que si se comparan con el Barcelona o el Real Madrid, por ejemplo, se están recién construyendo en el City. Nosotros aún no somos un equipo grande en el concierto internacional. Somos, al igual que el Paris Saint-Germain, equipos que tienen recursos para construir un proyecto que logre equiparar a los grandes.

ESCUDEROS

«Ché, ¿grabás lo que conversamos?»

Se nota que Rubén Cousillas no está acostumbrado a las entrevistas. Desde que comenzó a trabajar como ayudante técnico de Manuel Pellegrini en febrero de 2001 al mando de San Lorenzo, el ex arquero ha hablado solo una vez con la prensa. Fue en un diálogo con la revista *El Gráfico* de Argentina en agosto de 2009, cuando recién se había instalado junto a su jefe en la banca del Real Madrid.

Catorce años de casi absoluto ostracismo mediático, en un meditado segundo plano comunicacional detrás del técnico chileno.

Cousillas ha sido clave en la carrera internacional del Ingeniero. Lo conoce al dedillo, sabe de sus manías, requerimientos, necesidades, defectos y virtudes. Lo respeta y admira, pero también es consciente de lo importante que él ha sido en la trayectoria del entrenador, quien lo ha transformado en su colaborador más cercano y con el que ha permanecido la mayor cantidad de tiempo trabajando.

Algunos jugadores bromean con que Pellegrini y Cousillas ya parecen hermanos. Es tanto lo que se han compenetrado como dupla que hasta tienen un parecido físico.

El Flaco aparece puntual en una de las oficinas de la ciudad deportiva de Manchester para hablar en profundidad de este viaje por la élite futbolística junto al DT. Se trata de un personaje fundamental en la puesta en práctica del método Pellegrini.

Vestido con zapatillas, jeans, camisa, chaleco y con un pequeño bolso tipo neceser en la mano, este hombre de cincuenta y siete años decide explayarse sobre su experiencia al lado del Ingeniero: «Yo terminé mi carrera de arquero en Chile en el año 1995 con Huachipato. Así que ahí nos enfrentamos con la Universidad Católica de Manuel dos veces. Pero no lo conocí, solo sabía quién era y justo me retiré ese año.

»El 2001 no tenía trabajo, había estado antes en San Lorenzo y cuando llegó Manuel, me llamó el presidente Fernando Miele para decirme que iba a ser su ayudante. Fue una sorpresa grande, me lo presentaron ese mismo día. Me explicó en diez minutos cómo trabajaba, me dijo que me iba a evaluar dos meses y si estaba conforme iba a continuar, si no traía a otro. Acepté gustoso el desafío y aquí estoy, en Manchester, catorce años después.»

—¿Y qué tal la experiencia?

—Es muy fácil trabajar con él, tiene las ideas muy claras, te permite desenvolverte con libertad dentro de los límites que mi cargo tiene, los que conozco a la perfección y no traspaso jamás. Me permitió crecer, desde el primer momento hubo una sintonía entre nosotros en la parte humana porque tenemos cosas en común y sentí que estaba ante una persona con la que podía ser yo mismo. Estaba con alguien sin celos, sin cosas extrañas, muy transparente, con convicciones muy firmes. Rápidamente congeniamos y creo que cumplí bien mi rol de segundo entrenador. Entendí y compartí su idea futbolística, me cambió mi cabeza sobre todo por la manera de entrenar, porque con todos los sistemas futbolísticos se puede ganar o perder, se puede tener éxito o no, pero con su manera de trabajar hizo que me sintiera rápidamente cómodo.

—¿Qué se necesita para trabajar con él?

—Lo que más exige es lealtad, esa es la palabra que está en primer lugar, para él es fundamental. Después, responsabilidad, la seriedad y el cumplimiento de los horarios. Eso es lo que hay que tener. Es lo mismo que le exige a los jugadores: responsabilidad, respeto y rendimiento.

—¿Se considera su amigo o compañero de trabajo solamente?

—Se necesitan dos personas para decirlo, pero me considero un amigo. Nuestras familias se conocen, compartimos asados, reuniones familiares en Chile, Argentina o en donde estemos. Es una persona sociable, quienes lo ven a la distancia tienen la impresión de que es tímido o poco amigo de la conversación; nada que ver. En la intimidad es un tipo divertido, al que le gusta hacer bromas, muy culto, disfruta hablar de cualquier tema y lo hace con autoridad. Es muy diferente el Manuel que uno trata diariamente al de la imagen que la gente tiene de él.

—Han compartido con jugadores de primer nivel en los equipos más importantes del mundo. ¿Cómo es el liderazgo que ejerce en el grupo?

—Jugué dieciséis años en Primera División y llevo ya diecisiete o dieciocho del otro lado, como ayudante; he conocido infinidad de técnicos, de todos uno aprende algo, pero nunca he visto a uno con el manejo de grupo que tiene Manuel.

»Es muy difícil, aunque siempre hay algún caso por ahí, escuchar a un jugador que no hable bien de él. ¿Por qué? Porque los trata a todos por igual, les exige a todos por igual y durante la semana todos trabajan de la misma manera, nadie se siente discriminado. Y luego hay que elegir a once que juegan y a siete que van al banco, mientras el resto tiene que esperar. Pero empieza el lunes y ya son todos iguales de nuevo. Cuando descansan, todos descansan; cuando trabajan, todos trabajan; cuando van de vacaciones, todos van de vacaciones; y ese trato igualitario es una de sus grandes virtudes como entrenador.

»Sabe tocar la fibra íntima del jugador. Porque del dinero, ¿qué les va a decir? Primero porque el jugador nunca piensa en el dinero cuando juega; en estos niveles ganan tanto que no hay que motivarlos por ese lado, más bien por quedar en la historia como los grandes de verdad. Como Messi o como Cristiano, que tienen todo, pero cada día van por más.

»Manuel tiene una frase: "Vamos por la gloria, muchachos. La plata siempre se cobra, pero la gloria y el título quedan para toda la vida".»

—En todos estos años, ¿cuáles fueron los momentos más alegres que pasaron juntos?

—Nuestro balance ha sido muy bueno, cada etapa ha tenido su parte linda. Nos conocimos en San Lorenzo donde ganamos campeonatos con récord de puntos y de victorias. Fuimos a River Plate y ganamos otra vez el campeonato, pese a que fuimos bastante discutidos, ya que reemplazábamos a un ídolo como Ramón Díaz. En River, Manuel implementó lo que hoy todo el fútbol sudamericano hace: el doble cinco. En ese tiempo nadie lo hacía.

Luego vinimos a Europa, a una experiencia nueva en un club chico como era el Villarreal y lo llevamos a semis de Champions y terminamos segundos una temporada. Después, el paso por el Real Madrid fue el que nos dejó el sabor más amargo, porque a pesar de hacer una gran campaña no logramos nada y nos tuvimos que ir. Lo de Málaga fue espectacular, con resultados deportivos y una demostración de liderazgo extraordinario para salir de la crisis. Y otro momento glorioso fue ganar la Premier League aquí en el primer año, en la mejor liga del mundo y obtener dos torneos. Fue un momento cumbre, sin duda.

—¿Cómo celebraron el título acá en Inglaterra?

—Tranquilos, con una comida con la familia y los amigos. Un brindis y no mucho más, simplemente compartir esos momentos especiales, porque la familia es la que soporta todos los malos momentos, es la que escucha o lee cosas que quizá nosotros no leemos. Es la que de repente escucha una barbaridad sobre Manuel y debe resistir. La familia es el soporte más grande que tiene un entrenador y los amigos, los pocos que uno tiene, son muy importantes también. Así que cuando tenemos algún logro lo disfrutamos en familia.

—Usted habla mucho de la familia, pero Pellegrini ha vivido solo durante casi toda su carrera en el extranjero...

—Pero siempre ha estado conectado y con ellos viajando constantemente. Este es un deporte muy profesional, se gana mucho dinero, pero al final lo más importante son los logros, quedar en el bronce. Para que el día de mañana tu hijo o tu nieto digan: «Mi viejo ganó tal liga, fue balón de oro», etcétera.

—En la nota que le dio a *El Gráfico* en 2009, habló de «gracias a Dios y a Pellegrini»...

—Soy muy católico y creyente, entonces hablando de fútbol es gracias a Dios y a Pellegrini que estoy viviendo todo esto. Por eso reafirmo esa frase. Estoy muy feliz de trabajar con él y acompañarlo. Reconozco que a veces se me pasa por la cabeza que podría haber sido entrenador para volcar todo lo que aprendí, pero si me retiro del lado de Manuel no lo sentiría como una frustración. Porque he disfrutado mucho todo lo que he vivido estos años trabajando juntos.

—¿Hay algo que no le ha dicho y le gustaría aprovechar de hacerlo?

—Solo puedo tener palabras de agradecimiento porque me ha permitido crecer como profesional, crecer como persona, conocer el mundo, dirigir en las mejores ligas, y que mis amigos y mi familia puedan compartir todo esto que estoy viviendo. La palabra sería: gracias, y no alcanzaría para dimensionar todo lo que siento que me ha permitido vivir trabajando junto a él.

Con sus colaboradores técnicos, encabezados por Cousillas, Pellegrini llegó a Inglaterra con la idea de incorporar en el equipo a algunos jugadores de su confianza. Al analizar el plantel estimó que necesitaba otro defensa central, y el elegido fue Martín Demichelis, su ex jugador en River Plate y Málaga.

El argentino no había tenido actividad en las pocas semanas que alcanzó a estar en el Atlético de Madrid y se transformó en la primera alternativa del DT tras la caída de la transferencia desde el Real Madrid del portugués Pepe, quien tenía todo arreglado para llegar al City, pero se arrepintió cuando el libro de pases en Europa ya cerraba.

El Ingeniero no dudó en llamar a Demichelis, quien llegó falto de fútbol y tardó varias semanas en ponerse a punto en Manchester. Sin embargo, el chileno lo respaldó, le dio continuidad a pesar de las críticas y terminó siendo fundamental en la obtención de los títulos de la temporada 2013-2014.

Según Jesús Martínez, Pellegrini «va hasta el final» con los futbolistas que le han respondido: «Confía ciegamente en algunos jugadores. A veces yo le discuto a determinado futbolista, le pregunto por qué hace jugar a ese «perro», pero él siempre me contesta lo mismo: "Ojo, Jesús, que gracias a esos perros estamos donde estamos y hemos conseguido lo que hemos conseguido"».

Demichelis está muy consciente de la confianza que le tiene su entrenador. Confirma que ha construido una relación cercana con el Ingeniero, sin llegar a la amistad, pero generando un lazo profesional que se ha mantenido por más de una década desde que se conocieron en Buenos Aires.

Hoy el argentino no es titular en el Manchester City, sabe que las cercanías no cuentan para Pellegrini si debe tomar una determinación profesional. Tampoco contaron en el Málaga, cuando vivía un gran momento futbolístico, era fijo en el once inicial y vivió una de las tantas situaciones en las que Pellegrini saca a relucir su método: «Estábamos jugando en Granada un partido importante con el Málaga y ganábamos 1-0. En el minuto 90 nos hacen el 2-1 y en el 92 me voy expulsado. Él me tenía como uno de los más experimentados y titulares del equipo, un ejemplo para los más jóvenes, por lo que se molestó mucho con la tarjeta roja.

»La federación me dio solo dos fechas de castigo, pero sabía que con Manuel iba a tener algo más. Y así fue: me dijo que me iba a duplicar el castigo oficial, es decir, iba a estar suspendido cuatro partidos en total. Sin embargo, al tercer partido me hace entrar a los veinte minutos por la lesión de un compañero, jugué muy bien y marqué un gol incluso. Obviamente, pensé que después de convertir y de mi buen rendimiento volvería a mi lugar normal como titular al partido siguiente, pero me encuentro con la ingrata noticia de que sería suplente. Estaba muy enojado, cambiándome en el camarín sentado, y veo que unas piernas se me acercan y cuando levanto la cabeza está Manuel que me dice: "No se haga el enojado ni esté fastidioso, usted sabía perfectamente que conmigo se le había duplicado la sanción y le queda uno afuera todavía para cumplir".

»Tenía claro que en ese equipo yo era uno de los jugadores más cercanos a él, pero me volvía a demostrar que somos todos iguales en el camarín, que no hay trato especial para nadie. Fue una situación ideal para decirle al grupo que si me castigaba a mí podía castigar a cualquiera si era necesario.

»Como esa anécdota hay muchas, y en todas demuestra que es un entrenador diferente, el prototipo de técnico que algún día me gustaría ser a mí.»

«The charming man»

La noche del 11 de mayo de 2014, los hinchas del Manchester City celebraron hasta la madrugada el título de la Premier League que habían obtenido horas antes en el estadio Etihad.

El chileno Juan Enrique Gatica, amigo del técnico y parte de su grupo del Club de Polo San Cristóbal de Santiago, presenció en directo la victoria del Ingeniero. El Negro, junto a otros cercanos, viajó especialmente a Inglaterra para ser testigo de la definición del campeonato. Desde una de las tribunas del imponente recinto del City disfrutó de la celebración de una parcialidad que se rendía ante el trabajo de su compañero del Troncal Lo Curro, el equipo amateur que formaron en 1991: «Éramos unas treinta personas las que viajamos a acompañarlo. Fue una jornada demasiado emocionante, porque ver a un amigo tuyo triunfando en un estadio espectacular, con ochenta mil personas aplaudiéndolo, fue algo increíble.

»Tras el partido, Manuel nos había organizado una especie de salón VIP para nuestro grupo en el estadio. Era top, con champán francés, cena, de todo. Como dos horas después del pitazo final, él apareció muy tranquilo. Contento, pero sin volverse loco. Me acuerdo de que empezamos a abrazarlo y la imagen era muy extraña, porque llorábamos los amigos de la emoción y él, que era quien había salido campeón, se dedicaba a cobijarnos paternalmente. ¡Todo al revés!

»Esa noche fui de los pocos que se quedaron en su casa. Uno podría pensar que él saldría a celebrar en alguna gran fiesta o algún restaurante importante, pero nada: llegó temprano a cenar y compartió con la familia y los amigos que estábamos ahí. Todo muy sencillo, pedimos unas pizzas, incluso. Él solo se ausentó cerca de una hora, porque tuvo que ir a sacarse unas fotos oficiales con el plantel, pero fue rápido y volvió de inmediato.

»Al otro día yo viajaba a primera hora a Estados Unidos. Tenía que estar en el aeropuerto a las siete de la mañana. Obviamente, la noche antes estaba organizando todo para que me pasara a buscar un taxi, cuando me dice que no, que él me llevaría temprano al terminal. Así, como si fuera un día cualquiera, a la mañana siguiente de ser campeón, con su fotografía en todas las portadas de los diarios ingleses, seguía con su rutina y se tomaba las cosas con una tranquilidad increíble.»

Sin excesos ni estridencias, muy tranquilo, con la misma actitud que había mostrado cuando se fue al descenso con Universidad de Chile en enero de 1989, Pellegrini reaccionaba con mesura ante el triunfo más importante de su trayectoria. Tras veintiséis años sentado en la banca, el chileno conoce muy bien cómo se mueve el péndulo que divide la línea de los éxitos y de los fracasos.

En ese momento, todo era alegría y reconocimiento; apenas meses después, tras la eliminación en la Champions frente al todopoderoso Barcelona y el subcampeonato en la liga, los aplausos se transformaron en cuestionamientos y los elogios mediáticos en ácidas críticas.

Otra vez del cielo al infierno, un recorrido permanente de ida y vuelta, y que parece interminable para cualquier entrenador de élite.

Por eso aquella noche de celebración con pizzas en su casa, Pellegrini jamás perdió la mesura. Sabe que no vale la pena, los cuestionamientos estarán a la vuelta de la esquina ante el primer revés, por mínimo que sea. Sobre todo en una profesión en la que la estabilidad no existe y en la que se está mucho más cerca de la derrota que del triunfo.

—¿Cómo asimila usted la derrota?

—Lo peor es cuando despiertas al día siguiente y te das cuenta de que perdiste, porque cuando termina el partido uno está acelerado todavía, pero después te baja la adrenalina y quedas hecho un trapo. Al día siguiente se vienen todas las consecuencias, las críticas, las dudas, todo.

—¿Y cómo combate esas sensaciones?

—Primero, estando preparado para perder. Luego, intentando focalizarse en el siguiente partido. Y después, haciendo cosas distintas que te entretengan y desconecten.

—Según Rafael Benítez (técnico del Real Madrid), los entrenadores son como «llaneros solitarios».

—No sé, no comparto eso totalmente. Porque el Llanero Solitario es el protagonista, y en el fútbol los verdaderos protagonistas son los jugadores, no el entrenador. Otra cosa es que después de una derrota el protagonista principal pase a ser el técnico, pero eso ocurre porque el medio te obliga a serlo.

—Cumplió más de un cuarto de siglo sentado en una banca, ¿en qué han cambiado usted y el fútbol en estos años?

—Hay convicciones en la vida que no cambian. Pero sí hay ciertas decisiones que se pueden ir adecuando a medida que las cosas van evolucionando. El fútbol de hoy es muy distinto y el rol de técnico ha variado también. Hay que tener una flexibilidad para trabajar en equipo, para entender otros ámbitos deportivos.

»Hoy todo es más complejo, porque hay muchos intereses más detrás: el público, los auspiciadores, los propietarios, los representantes, los diversos aspectos económicos, etcétera. Entonces, existe una gran cantidad de cosas que uno tiene que agregarle a las propias convicciones y saber ser flexible para adaptarse a la nueva realidad. Porque la realidad de hoy es muy distinta a la que viví en Universidad Católica hace veinte años.»

—¿Qué le pasa cuando revisa su carrera desde que comenzó hasta hoy?

—Creo que he tenido una trayectoria exitosa, no por determinada cantidad de títulos, sino porque he logrado cumplir los objetivos que me propuse cuando decidí dedicarme a esto.

—¿Y cuál cree que es la evaluación que hace el resto de lo que ha sido su trayectoria? Ha recibido muchos elogios, pero también críticas…

—Algunos dirán que soy un fracasado, otros que soy un técnico exitoso. Algunos opinarán que mis equipos juegan mal o bien, o que son aburridos; mientras otros dirán que dan espectáculo o que soy un gran entrenador, etcétera. Pero ese tipo de situaciones, lo que digan de mí, me da lo mismo. No es lo que me mueve.

»He recibido el reconocimiento de todas las instituciones donde trabajé, y uno de mis principales orgullos es escuchar lo que dicen de mí los jugadores que dirigí. Pero al final, lo realmente importante, es mi propia evaluación. Y cuando esa llega, tener la tranquilidad de que has cumplido contigo mismo es lo que a mí realmente me llena e interesa.»

—Cumplió sesenta y dos años de edad. Lleva más de cuarenta en el fútbol y veintiséis dirigiendo, ¿sigue disfrutando de la exigencia de la competitividad?

—Absolutamente, la adrenalina de cada fin de semana es lo que me llena. Por eso no me gustan los partidos amistosos, porque no conllevan el nervio de estar compitiendo.

—¿Y la selección chilena?

—He dicho varias veces que la posibilidad va a estar en la medida en que mis tiempos coincidan con los de la selección, pero eso no significa que uno se esté candidateando o algo parecido. Hoy la selección tiene un excelente cuerpo técnico y por ahora sigo proyectando mi carrera en Europa.

—¿Hasta cuándo?

—Hasta que mantenga la posibilidad de dirigir a equipos competitivos.

El nervio de la competencia, el impacto de estar en evaluación permanente, semana a semana, la capacidad de soportar —o ignorar, según dicta su método comunicacional— el caudal inagotable de rumores que generan inestabilidad ante cualquier revés o mala racha y esa necesidad enfermiza de estar poniéndose a prueba permanentemente, son elementos que mantienen a Pellegrini motivado, transformándose en una especie de adicción a la que se ha mantenido sometido en los últimos veintiséis años de vida.

¿Cómo asume toda aquella presión para sobrevivir en la montaña rusa de las tensiones y esquizofrenia mediática, el Ingeniero? Manteniendo firme sus convicciones, su manera de ser, de reaccionar y de hacer las cosas. Ahí está el secreto del «método Pellegrini»: en el convencimiento de las propias capacidades, en la formación personal de años, en la experiencia, en la preparación con los que construyó sus cimientos profesionales, en la capacidad de reinventarse permanentemente, más allá de los resultados puntuales, los éxitos efímeros o las críticas esporádicas.

Al final, a mi juicio y en el de la totalidad de los 68 entrevistados de este libro, el principal mérito del «método Pellegrini» radica en su coherencia absoluta, desde el descenso con Universidad de Chile hasta la inestabilidad de la cima competitiva en el Real Madrid o el Manchester City. Siempre el mismo estilo, siempre la misma actitud y siempre, ante cualquier circunstancia, el mismo comportamiento ejemplar de un hombre que ha entendido que el «negocio del fútbol» implica costos y presiones con las que se debe convivir, pero ante las que no se puede claudicar.

Más allá de las críticas futbolísticas, los debates por las ideas de juego o determinadas tácticas, los resultados puntuales o la fortuita condena de que «a veces la pelota simplemente no quiso entrar», Manuel Pellegrini ha desarrollado una carrera brillante, única para un entrenador nacido y formado en Chile, en constante ascenso y con una continuidad permanente en la élite, transformándose en uno de los técnicos con mayor prestigio a nivel internacional.

¿Se trata de un «animal» mediático? Para nada.

¿Su forma de ser genera show y espectáculo fuera de la cancha? Menos.

Y es que ese es su estilo. Una manera de actuar que, a la luz de lo que ha sido su trayectoria, no se ha transformado en un impedimento para alcanzar el éxito y el reconocimiento.

Aquel 11 de mayo de 2014, tras el título de la Premier League conseguido por el Manchester City, *The New York Times*, uno de los diarios más importantes del mundo, publicó una columna a partir del apodo que la parcialidad del City le regaló al chileno durante su primera temporada en Manchester. Haciendo un juego con la personalidad del entrenador y una canción de la banda británica The Smiths, el DT que les devolvió el título fue bautizado como «the charming man» (El hombre encantador).

Según el influyente periódico, Pellegrini «es un técnico honesto, encantador y ganador. Un entrenador caballero que llegó a Inglaterra, pero a quien la prensa aún no sabe cómo tratar, porque es de esos profesionales que no entra en el juego de los medios modernos […] Y es poco probable que el chileno cambie su estilo, él es "the charming man"».

ANEXO ESTADÍSTICO

Los registros estadísticos contemplan la carrera de Manuel Pellegrini desde su debut en la banca de Universidad de Chile, en 1988, hasta el 29 de agosto de 2015, fecha correspondiente a la cuarta jornada de la Premier League 2015-2016 al mando del Manchester City, momento del cierre de la presente edición.

Estadísticas generales de Manuel Pellegrini como técnico

CLUB	AÑOS	PTS	PD	PG	PE	PP	GF	GC	REND (%)
Universidad de Chile	1988-1989	47	37	11	14	12	39	47	42,3
Palestino	1990-1992, 1998	116	80	28	32	20	127	109	48,3
O'Higgins	1992-1993	108	70	30	18	22	110	91	51,4
Universidad Católica	1994-1996	254	127	74	32	21	270	138	66,7
Liga de Quito	1999-2000	108	68	31	15	22	95	83	52,9
San Lorenzo	2001-2002	134	79	38	20	21	127	88	56,5
River Plate	2002-2003	134	75	40	14	21	129	88	59,6
Villarreal	2004-2009	441	259	123	72	64	379	274	56,8
Real Madrid	2009-2010	113	48	36	5	7	119	48	78,5
Málaga	2010-2013	189	129	53	30	46	189	186	48,8
Manchester City	2013-2015	234	112	73	15	24	269	115	69,6
TOTAL		1.878	1.084	537	267	280	1.852	1.267	57,7

PTS: PUNTOS   PD: PARTIDOS DIRIGIDOS   PG: PARTIDOS GANADOS
PE: PARTIDOS EMPATADOS   PP: PARTIDOS PERDIDOS   GF: GOLES A FAVOR
GC: GOLES EN CONTRA   REND: RENDIMIENTO

Detalle de partidos por competencias disputadas

Partidos de ligas nacionales

	PD	PG	PE	PP	GF	GC
Torneo chileno	225	100	71	54	379	255
Torneo ecuatoriano	62	31	13	18	92	70
Torneo argentino	110	57	28	25	187	123
Torneo español	332	167	75	90	540	398
Torneo inglés	80	55	12	13	195	75
TOTAL	809	410	199	200	1.393	921

Partidos de copa

	PD	PG	PE	PP	GF	GC
Copas en Chile	72	37	20	15	138	94
Copas en España	30	10	5	15	40	51
Copas en Inglaterra	16	11	1	4	44	15
TOTAL	118	58	26	34	222	160

Partidos de competencias internacionales

	PD	PG	PE	PP	GF	GC
Copa Libertadores	43	16	8	19	58	77
Copa Interamericana	2	1	0	1	6	4
Copa Mercosur	12	6	3	3	21	11
Copa Sudamericana	10	4	2	4	16	10
Copa Intertoto	10	6	2	2	14	7
Copa de la Uefa	20	12	6	2	34	12
Champions League	60	24	21	15	88	65
TOTAL	157	69	42	46	237	186

PD: PARTIDOS DIRIGIDOS **PG:** PARTIDOS GANADOS **PE:** PARTIDOS EMPATADOS
PP: PARTIDOS PERDIDOS **GF:** GOLES A FAVOR **GC:** GOLES EN CONTRA

Títulos obtenidos como técnico

TORNEO	AÑO	CLUB
Copa Interamericana	1994	Universidad Católica
Torneo de Apertura	1995	Universidad Católica
Torneo Ecuatoriano	1999	Liga de Quito
Torneo de Clausura	2001	San Lorenzo
Copa Mercosur	2001	San Lorenzo
Torneo de Clausura	2003	River Plate
Copa de la Liga	2013-2014	Manchester City
Premier League	2013-2014	Manchester City

Rivales más frecuentes

	CLUB	PJ	PG	PE	PP
1	Barcelona	26	4	4	18
2	Cobreloa	20	9	7	4
2	Atlético de Madrid	20	7	5	8
2	Colo-Colo	20	6	6	8
5	Getafe	19	13	4	2
5	Deportes Concepción	19	10	8	1
5	Valencia	19	10	2	7
5	Universidad Católica	19	8	3	8
5	Universidad de Chile	19	6	7	6
5	Sevilla	19	5	5	9
11	Mallorca	18	13	4	1
11	Athletic de Bilbao	18	11	4	3
13	Espanyol	17	10	5	2
13	Osasuna	17	5	7	5
13	Unión Española	17	5	5	7
13	Real Madrid	17	3	5	9

PJ: PARTIDOS JUGADOS **PG:** PARTIDOS GANADOS
PE: PARTIDOS EMPATADOS **PP:** PARTIDOS PERDIDOS

Técnicos con los que más se ha enfrentado

	TÉCNICO	PJ	PG	PE	PP
1	Joaquín Caparrós	17	8	5	4
2	Miguel Ángel Lotina	15	9	3	3
3	Gregorio Manzano	13	8	3	2
3	Ignacio Prieto	13	7	1	5
3	José Mourinho	13	3	3	7
5	Quique Sánchez Flores	12	9	1	2
5	Javier Aguirre	12	4	2	6
5	Josep Guardiola	12	2	1	9
8	José Luis Mendilibar	11	4	4	3
9	Mauricio Pochettino	11	9	2	0
10	Frank Rijkaard	10	4	2	4
10	Unai Emery	10	4	3	3

PJ: PARTIDOS JUGADOS **PG:** PARTIDOS GANADOS
PE: PARTIDOS EMPATADOS **PP:** PARTIDOS PERDIDOS

Estadios donde más ha dirigido

	ESTADIO	CIUDAD	PARTIDOS
1	El Madrigal	Villarreal	133
2	La Rosaleda	Málaga	65
3	San Carlos de Apoquindo	Santiago	59
4	Etihad	Manchester	58
5	El Teniente	Rancagua	42
6	Municipal de La Cisterna	Santiago	42
7	Nuevo Gasómetro	Buenos Aires	40
8	Monumental	Buenos Aires	38
9	Nacional	Santiago	38
10	La Casa Blanca	Quito	34
11	Santiago Bernabéu	Madrid	33
12	Santa Laura	Santiago	26

Partidos centenarios

N.º	FECHA	PARTIDO	RES	ESTADIO	TORNEO
1	9-jul-1988	Universidad de Chile - Palestino	1 - 1	Santa Laura	Nacional
100	3-may-1992	Universidad de Chile - Palestino	2 - 2	Nacional	Copa Chile
200	1-oct-1994	Antofagasta - Universidad Católica	2 - 1	Regional	Nacional
300	14-feb-1998	Deportes Concepción - Palestino	2 - 2	Municipal	Copa Chile
400	22-abr-2001	Talleres de Córdoba - San Lorenzo	0 - 3	Mundialista	Clausura
500	4-may-2003	River Plate - Nueva Chicago	1 - 1	Monumental	Clausura
600	14-sep-2005	Villarreal - Manchester United	0 - 0	El Madrigal	Champions League
700	30-sep-2007	Villarreal - Athletic de Bilbao	1 - 0	El Madrigal	Liga
800	23-sep-2009	Villarreal - Real Madrid	0 - 2	El Madrigal	Liga
900	12-feb-2012	Málaga - Mallorca	3 - 1	La Rosaleda	Liga
1.000	28-dic-2013	Manchester City - Crystal Palace	1 - 0	Etihad	Premier League

Futbolistas con más partidos jugados bajo su dirección

	JUGADOR	PERÍODO	CLUBES	PARTIDOS
1	Martín Demichelis	2002-2015	River Plate Málaga Manchester City	215
2	Santi Cazorla	2004-2012	Villarreal Málaga	196
3	Marcos Senna	2004-2009	Villarreal	191
4	Javi Venta	2004-2009	Villarreal	157
5	Miguel Ardiman	1992-1996	O'Higgins Universidad Católica	152
6	Gonzalo Rodríguez	2004-2009	Villarreal	150
7	Josico	2004-2008	Villarreal	129
8	Guillermo Franco	2002-2009	San Lorenzo Villarreal	127
9	Diego Forlán	2004-2007	Villarreal	121
10	Rodrigo Gómez	1990-1996	Palestino Universidad Católica	117

Máximos goleadores bajo su dirección

	JUGADOR	PERÍODO	CLUBES	GOLES
1	Alberto Acosta	1994-2002	Universidad Católica San Lorenzo	83
2	Sergio Agüero	2013-2015	Manchester City	63
3	Diego Forlán	2004-2006	Villarreal	58
4	Yaya Touré	2013-2015	Manchester City	43
5	Carlos de Luca	1992-1993	O'Higgins	39
6	Cristiano Ronaldo	2009-2010	Real Madrid	33
7	Juan Román Riquelme	2004-2006	Villarreal	32
7	Edin Dzeko	2013-2015	Manchester City	32
7	Fernando Cavenaghi	2002-2003	River Plate	32
10	Santi Cazorla	2004-2012	Villarreal	30

continúa

	JUGADOR	PERÍODO	CLUBES	GOLES
11	Lukas Tudor	1994-1996	Universidad Católica	29
11	Gonzalo Higuaín	2009-2010	Real Madrid	29
13	Ariel Bravo	1990,1993	Palestino O'Higgins	28
13	Giuseppe Rossi	2007-2009	Villarreal	28
15	Bernardo Romeo	2001-2002	San Lorenzo	27
15	Salomón Rondón	2010-2012	Málaga	27

Jugadores más expulsados bajo su dirección

	JUGADOR	EXPULSIONES	CLUBES
1	Martín Demichelis	7	River Plate Málaga Manchester City
2	Gonzalo Rodríguez	3	Villarreal
2	Rodolfo Arruabarrena	3	Villarreal
2	José Mari	3	Villarreal
2	Guillermo Franco	3	Villarreal
2	Sergio Vásquez	3	Universidad Católica
2	Claudio Husaín	3	River Plate
2	Guillermo Pereyra	3	River Plate
2	Andrés Romero	3	Universidad Católica
2	Patricio Mardones	3	O'Higgins
2	Rodrigo Gómez	3	Palestino Universidad Católica

AGRADECIMIENTOS

Quiero agradecer a todos quienes colaboraron, de una u otra forma, para sacar adelante este proyecto, especialmente a todo el equipo de Penguin Random House por volver a confiar en mí y entregarme todo su respaldo para la producción, realización y edición de este libro.

También mi absoluta gratitud para Amaia Díaz —secretaria ejecutiva del Manchester City— y para los integrantes de mi equipo de investigación: Rodrigo Muñoz, Patricio Morales, Sergio Domínguez, Maks Cárdenas, Ángela Vilaza y Francisca Pimentel.

Mención especial para quienes aceptaron ser entrevistados para este libro en Chile, Argentina, Ecuador, Uruguay, España, Inglaterra, Alemania y Estados Unidos. Su tiempo y valioso testimonio fueron fundamentales para *El método Pellegrini*.

ÍNDICE ONOMÁSTICO